U0139022

唯愛 / 王祿松著. -- 初版. -- 臺北市 : 文史
哲, 民82
面 ; 公分. -- (文學叢刊 ; 42)
ISBN 957-547-792-8(精裝)
ISBN 957-547-793-6(平裝)

851.486

文學叢刊 ㊷

唯愛

著者：王祿松
出版者：文史哲出版社
登記證字號：行政院新聞局局版臺業字五三三七號
發行人：彭正雄
發行所：文史哲出版社
印刷者：文史哲出版社
台北市羅斯福路一段七十二巷四號
郵撥〇五一二八八一二彭正雄帳戶
電話：三五一一〇二八

精裝定價新台幣六八〇元
平裝定價新台幣五二〇元

中華民國八十二年六月初版

版權所有・翻印必究

ISBN 957-547-792-8 (精裝)
ISBN 957-547-793-6 (平裝)

謹以本書獻給

祖父大人載實（佩卿公）

生清咸豐五年
長生—終民國二十七年，壽八十四歲

祖母大人林氏

生清咸豐八年
長生—終民國二十一年，壽七十五歲

父親大人茀喆（亦民公）

生清光緒二十六年
長生—終民國四十一年，壽五十二歲

母親大人吳儒彩（劍華女士）

生清光緒三十四年
長生—終民國四十七年，壽五十歲

不肖祿松 鞠躬

王祿松墨跡

起向高樓撞曉鐘不信人間耳盡聾

王祿松榮獲國家文藝獎新詩特別創作獎，頒獎者為嚴前總統家淦先生。

王祿松榮獲中山文藝獎新詩獎，頒獎者為國家元老王雲五先生。

王祿松與國家元老陳立夫先生同時榮獲國際性的「世界文化大賞」，陳立夫先生爲學術大賞，王祿松爲藝術大賞。

王祿松於一九八八年榮獲美國加州世界藝術文化學院榮譽文學博士學位，由世界詩人大會榮譽會長鍾鼎文博士(中)暨匈牙利籍普拉瑟博士(右)主持頒贈儀式。

詩人畫家王祿松

吳二曲

王祿松，海南文昌人，民國二十一年生。幼隨侍母親吳儒彩（劍華）女士誦經、唸詩、唱歌，父親茀喆（亦民）公，親授以書法、演講術與畫藝。十四歲獲畫獎。十五歲至十八歲，歌唱及演講比賽，連續多次第一名。十九歲，論文比賽第一名。二十歲，以寫詩當日記。二十一歲起的二十餘年間，陸續獲得國內十餘個文化團體四十三次的獎勵。他擅寫長詩與戰歌，風格雄渾，大氣磅礴，被譽為「鐵血詩人」。

民國四十餘年間，王祿松的詩已大行其道。五十五年間，國防部有關單位任命他訪問在學青年十四餘萬人，並做九十餘次演講，影響很大。青年的他，英風颯颯，主持過許多場朗誦詩大競賽。六十六年，臺灣北區大專院校詩歌朗誦比賽，共二十一所大專院校參加，其中有十所大學不約而同採用他的詩作，而其中前五名皆係朗誦其作品。六十七年，全國高中學校朗誦詩比賽，幾乎全部採用王祿松的詩。在臺灣，規模最大的千人朗誦詩（總統府廣場前。宋膺先生總導誦），以及國防部配以幻燈影片做七個月環島朗誦的兩部長詩，還有第二次世界詩人大會的朗誦長詩（國立師範大學朗誦隊擔任），也都用王祿松的作品。他在創作精力旺盛的七十年代，某次曾以數天的時間，接受諸多報刊的邀請，寫出十一首內容遣詞不同、而主旨題材卻相同的長詩，各方分別刊出。他也曾在一夜間不打草稿，寫好一篇中央通訊社特約的「通稿」，在第二天八家報紙同時刊出。某年，在詩歌座談會中，有讀者指定題材做挑戰性的測驗，王祿松當時即行起立，不加思索，應聲成詩，引得全場鼓掌，此事十餘年後，還有詩人在報端提及，並讚許他的「捷才」。他創作力強盛時，在公幹之餘，一天能寫十七首詩；也曾受某報館的特約，在一天內完成一首四百餘行長詩「梅花志節」，並以此詩榮獲國家文藝基金會特別創作獎，爲詩文創作開展了另一個巔峰氣象。

早年，現代詩領袖紀弦先生曾在刊物上說：「他有著多方面的才能和可驚異的創作的精力的。」余光中先生也曾在報章上稱道他的「想像力和魄力都是第一流的」。服務中國文藝協會近四十年的宋膺先生更稱譽他的人與詩是「慧劍與雄雷」。詩壇前輩左曙萍先生亦曾說王祿松是「三十八年以來的數十年間，詩的風格表現得最爲雄渾壯闊的一人」。

王祿松寫詩，有他獨特的創作理念和思維次序。他早年研究希臘三大聯想定律，並循著「實用想像學」去探索，自己便逐年創現出「象徵聯想」、「理則聯想」、「駕空豎說法」等思維路線，秉持「修辭學」中的諸多「辭格」，用精選及旁徵博引的五十餘本讀書筆記來歸納，編列成一整套系統性的想像法則，左右逢源的應用到寫作上，成就了意象中的另一空間和存在中的新生體系。他的文學，獲得國際人士的肯定：美國加州「世界藝術文化學院」頒贈給他榮譽文學博士。他的詩作，經翻譯分別納入美國及韓國的「世界詩選」。而在朋友相聚或歡宴時，王祿松經常是立即成詩，並附朗誦，成爲出口成章的開心果。在新詩創作上，他也是一位「爲者常成，行者常至」的典型人物。

王祿松五十歲時，爲感念庭訓，在臺北市舉行首次畫展。此事非常突然，因爲絕大多數的朋友都不知道他還會畫畫。而且，一經展出，不到二十分鐘就被收藏十幾幅。其畫風格優美，一時轟動藝苑文壇，甚得時論美評。（當時傳記作家戚宜君先生送給王祿松四個字：「嚇我一跳」。）此後，在國內外展出過十餘次，其中有兩次聯展，作品都首先被收藏。去年，韓國舉辦國際性綜合美術大展，王祿松應邀飛韓參加，在展出的第一天，作品亦首被韓人收藏，可謂爲國增榮。

其後，韓國美術團體訪華，特邀王祿松做繪畫專題演講，他以「共醉煙雲」爲題，亦詩亦畫的發表獨特的心源理念，甚獲聆者的稱讚。

王祿松的渲染水彩畫，多係表現詩境，其技法亦爲獨創，屢出新招，令人驚異。他在十年前受業於藝壇的前輩畫家時，獨創了「驅風法」，造成畫面的漸層美感，爲噴槍和平筆所不及。九年前迄今，又陸續創造出「預彩法」、「飛霧法」、「多色法」和「並筆法」等，突破了水份、紙質和筆具上相互之間的難關，成爲精確快速的特別效果。馴至近月，他經年探索實驗成功的岩石「質粒法」和「飛綺法」，都是耗時勞命、嘔心瀝血的產物，（據說他實驗將近完成的最後一週，皆至凌晨三時後始行就寢，白天竟至咳血，但他未曾中止實驗。）另外，他發明繪畫工具有「三代筆」、「陣筆」和「捲筆」，還有野外寫生用的「支腕棍」、「鐵皴片」和「射色法」。他的拚力一向，覃思專注，正是他所說的：「只要一息尚存，必然前進！」

王祿松是我早年的同班同學，上課時同坐一起，就寢時鼾在鄰床，生活視息上，眞正屬於「秋眠夜共被，攜手日同行」的好友。年輕時，他唱歌、寫詩，我畫畫、雕塑；婚後，兩家人住同一鄉。後來子女長大了，我們也慢慢老了，但對人生邁步共進的志念則一本初衷。近年來，我歷遊歐洲，再事大陸之旅，踏遍全國，考察研究我所從事的民俗與石窟藝術，並爲「小人國」總策劃之事繼續奔忙，兼爲外國籌劃的「小人國」（大於國內五十餘倍）致力。倥傯困乏之餘，與老友仍然常趁著空暇，驅車遍看畫展，評論研討，相與爲勵。承蒙他說過，我是他所認識的人物中最值得「立傳」的。今天，我對他的這篇簡介，也算是心情上一種象徵式的回禮吧！

七十九年春三月脫稿於

二曲藝術有限公司三樓

有感

王祿松

情懷滄蕩，躊躇經年，思有以出版一部新詩存稿。承畏友彭正雄兄道義純忱，慨然允諾，鼎力襄助，堪稱一大快事。今以所選之少部作品委之棗梨，藉資傳播，是酬我宿願乃爾。

我成長於劇變的年代。四十年的天倫斷層歲月，半世紀的人間炎涼際遇，窮蹇傷變，展力無由。而邇歲的世情顛盪，思潮變天，更使長年心血陶鑄的文績，頗有轉化塵燼，淪爲灰煙之虞慮。際此蜩螗年代，急利者功名少恥，雌伏者譏誚綦多。漫眼風波，盈胸冰炭，顧此堂堂七尺，耿耿寸衷，幾不知何以自處，何以自遣也。

念此浮生世夢，一如水泡琉璃，倏忽易滅，俄頃可碎。惟有抱薪吞劍者，慧想留於篇箋，眞情見乎文華，則崢嶸不沒，拔萃長生，煇麗青史的廊廡，焜燭萬世的宏規，益助綱常光熱、道義清輝。其所浩播流溶者，作育了青史人英，溉生了詩文傑夥，沁人忠肝，美動孝臆，滋養人格，華美浮生，恒是我的感慕與仰望之中。

我幼受學於先君，慈愛綦嚴。早歲雖庭訓感烈，頗涉篇什，然以礙於境遇，囿於資才，故文膽之淬煉，所成微甚；而典型之勵引，自期於高。蓋我性靈所鍾，心象所映，筆花所出，數十年不受污染，不涉頹喪，不旁邪僻。踔厲此耿耿詩心，修持於榮瘁之際，獨鍛此朗朗風格，頡頏在魚龍之間。提胸中之金谷，縱腕下之河源，展七海風濤之聲威，懷抱激烈；慕五嶽雲峰之壯麗，意氣奔揚。我之自信畢生文績當不致沒而無聞者，緣此心果甚正，愛向甚明，而感應者衆，許讚者群，更有志友之相爲切劘，知己之心星互照、烈義相摩，若驂靳之依存、桴鼓之呼應；是乃我緣運之所份，使此文字績效將臻於永年之助益者。

宋，陳亮自言其所學：「研窮義理之精微，辨析古今之異同，誠有愧於諸儒；至於堂堂之陣，正正之旗，風雨雲雷交發而並至，龍蛇虎豹變現而出沒，能推倒一世之智勇，開拓萬古之心胸，自謂差有一日之長。」每念讀之，輒爲氣壯神雄，用引奮踔。回顧數十年間，我多以長詩發陽剛浩厲之音，以壯心表海嶽人間之愛。鐵腕掣筆，血性鷹揚。烈烈心旌；醒書山之雷語，煌煌筆勢，旋墨海之洪濤。年復年也，而殊不悟在時潮顛盪之中，塵間事非，夢中世換，南柯之蟻戰已收，黃粱之水飯初熟也。

自見今目搖霜菊，耳順金風；人老歌短，迎甲子而驚秋。夢雨流光，感遲暮以太息。自憐拙筆花凋，愴懷澌冷，而猶望翠島蒼精，綠到江南。乃勉蒐彙賸稿零篇，僅是當年慷慨長歌所餘之字希幅短者也，徘徊間殊深憐惜。念及象逝遺牙，豹死留皮，今雖具象豹之心，而身後的牙皮之什，則不知流水東風歲月，其將瀟灑何向也。

聖經有云：「壓傷的蘆葦，祂不折斷；將殘的燈火，祂不吹滅。」顧此天風海潮的彌天動盪中，我的「唯愛」之章，毋乃僅是大時代中蕞爾的傷葦一葉，飄搖的殘燈一痕而已。然則，蘆笛數聲，未嘗而非江上之清賞，弱燈一痕，未嘗不是夜船中的光愛。念江天夜渡的同舟人，若幸邀得共結文字情緣的讀者，同享天風江浪的快意，低徊在蘆笛聲中，搖曳於微燈影裡，共一程人生的際遇，享此節曠然的清賞，不亦爲千載奇逢在美好的景觀中乎！

八十一年詩人節向晚，脱稿於「讀月畫室」

唯愛目次

卷一 早操

魔影與狂夜

哦哦，魔影！我看見它晃動在廿世紀的黃昏裡，
可怕！那是一切可怕的總和，一切可怕的相乘積，一切可怕的最大公倍，平方立方
！

魔影晃動著晃動著——
哦，我看見脫軌的星球飛掠成毀滅性的血眼，
人類在殘忍暴虐的最高律動中忘我地瘋狂了，
科學上的原子彈、火箭、宇宙船，都用以掃平了無數的山岳與都城，
熔岩焰漿猩紅地暴瀉向歷史的繁華，
大風天雷閃電瀑布匯成了劃宇宙殘忍的大協奏，
地獄敞開了無舌的千噚血口，
天堂擲下了黝黑的古老頑石，
地層下猛獸的骨骼爲饕餮而復活了，
荒塚中慘紅的屍衣爲仇殺而躍動了，
墨綠的蟒和虬，像魔繩般流竄，且掠閃著火焰的雙叉舌，
絳髮的無名魔抓開地心，霍霍地啃嚼著礦石……。

魔影！晃動著！晃動著！
哦，我看見地球的兩極擴大了！擴大了！擴大了！擴大了！
冰雪壓斷了赤道，劫難橫攪著世紀，
歷史的劊子手屠殺那火似的文學，山似的雕刻，濤似的音樂！
藝術死了，哲學死了，文化死了，宗教死了！
沒有國，沒有家，沒有道義也沒有溫暖！
只有無盡的淚水和哭聲是智慧人類的食糧，
只有浮屍的海，血染的江河在做千古歌哭，在無盡止的流盪，
只有火似的梅毒城市燃燒著，燃燒著，
只有山似的血染尸體在高疊，高疊！
只有「烏托邦」的理想國啊，那邪惡主義的淫邪謊言，像烏鴉般滿天亂飛，永不停
息永不罷休……。
魔影！魔影！在亞細亞的原野上擴大了！擴大了！
像冰雪向北極的永冬擴大，像大悲劇向不幸者的命運擴大！
……………………………………。……
……………………………………。……
呀呀！我看見夜在瘋狂了，一切在被燃燒地醒了！

所有有聲無聲的都在咆哮！所有有形無形的都在奮起！
呀！我看見古銅像在揮臂高呼，
殤馬染血的韁繩在歌唱，
火把和戰旗朝不變的方向揮寫著誓言，
殉道者爲奮起而咬唇挖開了墓心，
砲彈敞開了火的翅膀，悲慘地滿天嘯飛，
火炬在越野賽跑，刺刀在瘋狂蝟集，
患著嚴重砂眼的指北針抖顫地怒指著方向，
不眠的戰馬的眼睛在噴火，
大砲挺起了胸膛，雷達豎起了耳朵，
喇叭像大兇手般跳著，叫著……
詩人都拔出了匕首，畫家都舉起了盾牌，
哦，來了，奔來了，哲學家們抬著那又紅又大又圓的，
那是一個傾地球之力傾太陽之熱也不能損其毫末的眞理，
戰士們爲它唱起鐵質的歌，歌聲伴奏著恐龍似的步伐，
森林似的移動著，風沙一樣湧向前線……。
熱血像熔岩在滾流，子彈像流螢在織網，
地球在破裂，時間在奔馳，

日月在衝撞，人類在燃燒……。
呀呀！這是無窮無際無極無限無垠無邊的革命的總狂夜，
瘋狂瘋狂喲！看時代在三級跳，世紀在闊步舞。
所有有聲無聲的都在吶喊，一切有形無形的都在奮起！
…………………………。…………
…………………………。…………

本詩寫於二十一歲
刊載於復興崗月刊

漂泊者

小小的漂泊者，
是我窗前的過客；
他贈蛛網以明珠，
送窗欞以落葉。

他是歌者，也是詩人，
瀟瀟韻響是他的琴瑟，
黯黯青苔是他的題壁，
他走了，他名叫風雨之憶。

透明的井

在我書桌的草原的彼方，
有一口立體的透明的井，
我呀，總喜歡在那兒，
養著許多小小的魚苗。

魚兒游呀游的，直到倦了，
才慢慢的，沉到井底去安息，
我便用那井中的水，灌溉枯萎的舌頭，
澆醒我心底的頑石。

岩莊

幽岩覆水三千丈，
峭壁凌雲一萬重。

清・石濤句寫意

王祿松

擎海

插天絕壁噴晴日
擎海層巒吸翠霞

元・耶律楚材句寫意

彩色之歌

聖紅芬芳的亭榭，
惹來一些小小的遊客；
有的揮著彩色的團扇，
有的鼓著營營的琴瑟。

他們或撫著枝條的欄柵而盤桓，
或坐綠葉的圓櫈以小憩；
但總不忘走入那亭心，
喝一杯醉人的春蜜。

銀色床

我的銀色床，
靜如一個異鄉的港，
而我是一隻去國的船，
悠悠地碇泊其上。

飛來飛去是幻想的白鷗，
晨霧的紗帳，瀰漫四方，
而我的心呀是船上的乘客，
睡在艙裏，默默地懷鄉。

敏感的紙

才華呀，來豐富我的生命，
智慧呀，來美化我的靈魂；
我愛紋身，我愛摘花，我愛歌唱，
我是一張敏感的紙。

詩人的靈心送我以雋句，
戀女的清淚贈我以珍珠，
曲譜們的刺繡，顏彩們的灑落呀，
這是我做小草葉的歲月裡所夢想不到的呀。

可是，羞澀的初戀女啊，
莫將妳熱吻的故事記在我身上，
不然我便會燃燒，我會變灰，
因爲，我是一張敏感的紙。

歌魔

住在一枚大音符裏，
紡織世人的喜怒哀樂；
披頭散髮，
我是歌魔。

譜架上我曾敞衣高臥，
絃索間我常獨自蹉跎，
借小戀女的櫻桃低吟，
或縱身隨合唱隊的音量而起落。

我愛在指揮棒尖上棲停，
我愛在大旋律裏飄泊，
我嗜飲音樂家的血，
化琴瑟爲時雨，
造化無數的耳朵……。

有時我沿一排音階，拾級而登上曲調的巔峰，
聽那和聲如潮水詠歎。
有時我跳足猛奔過一支名曲，
急跳進大休止符的心窩，
仰看那狂飛的掌聲，
在一片酣醉的人潮裏紛紛飄落……。
化名曲爲美酒，
教無數心靈醉顏酡，
引秋風以清淚灌溉著哀歌。
傑作，我的捉弄是傑作，
教世人同揮熱淚，共織笑渦，
癡醉裏不分你我……。
馱音符以高飛，
紡織世人的喜怒哀樂，
騎遍天涯萬日夜，
披頭散髮，
我是歌魔。

晨早的演奏

不止在雅典、威尼斯、或巴黎，
每早，人們總醉心於那種樂器；
這彷彿是一個音樂的世紀。

演奏者，先粘上一點白色松脂，
然後就開始拉動那琴弓，
但動作並不注重基本樂理。

總是那三十二顆白閃閃的音符，
總是從音符上溢出甜味的泡沫，
總是那種旋律，那類演奏，和那支名曲。

明知這不是在音樂的世紀，
以牙膏爲松脂，以牙刷當琴弓，
這種晨早的演奏，不止在雅典、威尼斯或巴黎。

頭顱半島

細草般的短髮們
坐在頭顱上，仰燈光做日浴。
眼睛，姊妹花般拉著手
在書本上悠悠地踏青。
鼻子呢，獵狗般地嗅著，
而且伸長到六七尺以外去捕獵靈感。
張向夜的藍海的
耳朵像兩隻不凍的港口；
迎著海一樣的窗外
聽草蟲的波聲浪語。
而嘴巴是座地下倉庫，藏著許多歌。
——在這頭顱的半島上。

滿天霞笑

白晝剛剛閉上眼睛，
黃昏便偷竊了夕陽，
一溜煙跑了。

鑽石商的夜，連忙
點燃起一彎白燭，趕出來
卻照不見也追不到。

於是，夜在風中披髮哭泣，
用每隻星子的眼睛哭泣，
灑下一地的露珠。

直到哭瞎滿天的星子，
哭啞了松原的風聲，
才倦極地睡在山的腳下。

而金縷衣的黎明，爬過山頭，
背著那枚失竊的太陽，回來了，
一時，引起滿天的霞笑。

船長之歌

像每個人都是船長，我也是；
也擁著兩條私船。
每天，當第一瓣晨曦灑上天頰，
我的船，便載著人生的重量啓航。

無需羅盤，不需測海洋氣象，
我的船呀，不似中古期愛琴海的三桅，
不似近世紀威尼斯的遊艇，
也不同於劃破大西洋的白色大郵船……

而是航於地中海，航於陽光海，
航於公路，航於荒野，或都城的大街小巷，
劃破炎荒的人海，直到日落，星明，夜闌，
它才告歸航，解開纜索，碇泊於寢室的港。

浣衣女

在一頁白晨之上，
誰寫的，一排花格子的詩句？
啊，一溪的音色，幻做半天的雲吧，
如詩，如詩，那些浣衣女……。

她們揉著半輪的朝陽，
揉著一溪的春。
她們洗著半溪的雲彩，
洗著絢麗的虹。
而將清冽的早晨搬上白石，
用木棒來敲擊，把早晨敲碎，
也篤篤地敲響了六月，
把六月的紅陽敲得跳了起來。

扭乾幾件霞似的衣，

扭不乾幾件衣似的霞，
便連歌聲，一同放在籃子裏，挽著，
踏著音階般的石級歸去。

海原

朝陽在海的平野鋪下巨大的金地氈，
海潮們便跳著，呼嘯著，盪起銀色的裙裳……
我的筆也開始到海原上狩獵了，
把如虎的風雲追趕。

海浩闊，天遼長，
我揮筆如鞭，
將高山大海，一齊趕入詩章。
風呀雨呀，來詩上投宿，
浪呀潮呀，來詩中高唱！

放眼詩中天海，
雨後青山，像淚洗的良心，
晴陽中的礁石，像血染的肝膽。
巨浪轟然拍打著我詩的韻腳，

詩神啊你聽！何等鏗鏘。

雲在詩中捲，海在句中藍，
漁帆像鐮刀呀，收割著風雲在海上。
看我打開了詩的門户，歡迎天海來同住，
日呀月呀來詩上爭光，
山呀河呀來筆下低昂。

紅葉

冰冷的燃燒著，
落魄的沸騰著，
被西風自枝頭空運而下的
紅葉啊，紛繁像海舟漁火，
航在這波綠之野。

似做著胭脂之夢，
紅葉，美而玲瓏，像是
秋天的詩心，飄蕭在西風裡。

哦，它們暢飲天霜，敞衣醉臥於草地，
蒼涼的醉啊，撲跌成堆，
灑脫的扁形的笑啊，踊舞環迴。

片片如結冰的火焰，
殷紅的，如獅之舌，龍之血，雪靴兔之睛。

而如漂如泊，航入我思維之港，
棲止我澹蕩心靈的一片寒波之上，
隱隱漾曳，爲我秋歌的搖籃，
如飄如寄，是我玲瓏詩句的小舟。

對鏡

濱於遼闊的空氣的海的
一個草茨茸茸的山頭。

設置於眉毛的鐵絲網之旁的
是眼睛的兩架探照燈。

鼻子的伏地堡，
兩個良好的射口。

則通過一道淺的壕溝，
有著一個心戰廣播站。

而兩個臨海的雷達網，
則坐鎮西東方向，那耳朵。

啊啊，我的頭部呀！
多麼像一個臨海的陣地。

寂靜之歌

當夕陽踏皺了黃昏的小徑而遁，
當白晝收摺起有生之倫的市聲去歇腳，
當晝寢的夜，翻一個身子醒來，一步一燈火的邁入人間，
這時，在無邊的沉寂中，我的詩心轉醒，
側耳傾聽著，許多聲音從四面潮漲起來了……

我聽到石階上的青苔生長的聲音，
窗下有草根吸水的聲音，
園子裡的夜來香的花朵展瓣的聲音。
我聽到蟋蟀打洞的聲音，
蚯蚓翻泥的聲音，
螞蟻在地道下來回走動的聲音。

我聽到大林裡老樹抽新芽的聲音，
坡園的果實競相膨脹的聲音，

枝頭的蟬兒飲露的聲音，
草叢中蚱蜢打鼾和呼吸的聲音。

哦，還有星斗們競爬上天空的喘息，
明月從海上翩然歸來的跫音，
高空裡，夜風和雲朵的摩擦聲，
彗星迅疾劃過天際的長嘯。

森林裡，蝸牛在一棵大樹幹上遠足的聲音，
原野上，螢蟲劃火柴點燈的聲音，
江流的波底，魚蝦吐水泡的聲音，
簷角的，蜘蛛在抽網的聲音。

啊，還有還有，
一組組的詩句通過心竅的腳步聲，
靈感鏘然地撞擊在腦細胞上的聲音，
一個回憶悄然跨入胸腔的聲音，
一個燦然的理想在心上砰然爆炸開來的聲音。

天眞的心，和古籍上的句子合唱的聲音，
理想叩打著明天的門扉的聲音，
一些投宿在心靈上的音符偶然轉動身子的聲音，
幾片思潮在不眠的心頭來回澎湃的聲音。

天際星光輕輕走進人們夢境的聲音，
許多的睡眠在人心上拍翅棲憩的聲音，
一葉一葉的月色飄落在地上的聲音，
一瓣一瓣的星光飄落在水上的聲音。

龐大的地球轉動身子的聲音，
寸寸的夜色在輕輕龜裂的聲音，
太陽揉著眼睛掀開雲的被子的聲音，
殘夜的風在樹梢上打呵欠的聲音。

黎明，把整個夜空的星月吃盡，
把嘴一抹，銀笑起來的聲音。
啊，霞流聲，風轟聲，日出聲，

夜的崩潰聲以及晝的崛起聲……

當露水從山坡上洗淨了夜色，
當晨曦之口吐出蛋仁，海裡燃燒著金色的波濤，
當地球用它的右面迎向旭日的第一吻，
人籟鳥啼，淘盡了夜的靜謐。

這時，我的詩心將夜裡蒐集的眾聲
打成一個小小的包袱，背著，便向遠方逃亡了……
因爲，我已目陷眾彩，耳迷眾籟，心生眾慮，
在白晝的喧鬧中，我是一無所視，一無所聞，一無所獲。

高鼻歌

藝術家吳二曲，丰容英特，鼻子獨高。相違數年，不期把臂相逢，偕同受訓。我們慣開玩笑，見面時我爲他誦起當年胡適先生戲贈楊杏佛先生的一首大鼻詩，詩云：

人人有鼻子，獨君大得兇；
直豎一座塔，倒掛兩煙囱。
親嘴全無份，聞香大有功；
江北擤鼻涕，江南雨濛濛。

遂相拍肩大笑，而二曲說他的鼻子近年來的確又高了不少，問我何不爲他的高鼻子來上一首詩。我笑著答應下來，便試著寫了這章「高鼻歌」。歌曰：

巍巍高鼻衝霄上，
挺起人間第一峰，
其脊高寒生積雪，
其下斜陽詩意濃。
此物離天僅兩尺，
肉溝入地約三尋。
徘徊其下方如夏，

登上巔峰忽如冬。
昂首呼吸便可通帝座，
登高信手即可捉飛龍！

鼻尖能望遠，
佳趣來無窮，
笑渦如盆地，
雙唇落彩虹，
睫毛芳草碧，
顴骨遠山濃，
腮幫千里春如海，
眉端紫氣盈盈溢丰容。

相違才數年，
此物曾入夢，
不期在今朝，
崔嵬巨霸又相逢，
骨格雄奇阻礙日月之奔縱，

毛毿葱鬱年年臥虎兼藏龍！

偉乎哉！
其骨堅如鐵，
其皮韌如銅，
其血無一滴不紅，
其涕無一滴不濃。
溝洫飛出天邊雁，
油垢生芒欲化虹，
雙孔有如煙霞洞，
持杖探之莫能窮。
然則其頂六月不解凍，
十月巔尖大雪已全封，
夜夜鼾聲雷霆動，
天天呼吸起狂風。
嗟吁乎！
何懼天崩與地坼，

橫起此物做樑棟，
豈畏風暴與山洪，
此廝阻擋路不通。
君不見，
天山崑崙在下齊俯首，
喜馬拉雅彎腰一鞠躬，
今朝我立巔頂望，
八方風雷盪層胸，
歎絕設使此物一日沖天去，
不化天馬定化龍！

本詩刊載於復興崗旬刊

卷二 偉大的母親（詩集）

二十七歲作品
全國徵詩比賽最高積分唯一獲獎詩
民國四十九年，改造出版社印行
全詩長九百二十行，選錄第一章

偉大的母親

——給祖國的詩——

一

啊啊，祖國，我的母親！
您偉大的靈魂
振衣在帕米爾上，
濯足於太平洋濱，
您弄日月於掌，
呑河山於腹，
吐氣如虹，
放眼乾坤。
您用偉大的德性，
教化飛禽走獸蠻荒的世界，
半萬年的高齡，

開天闢地到如今……

啊，祖國，我的母親！
您究天人之際，通古今之變，
經天緯地，功績絕倫。
那浩淼的史籍，百家的哲理，
是您家學淵源的表現，
那琴劍書畫，詩棋詞樂，
是您技藝的高遠意境；
舟車冠裳，城閣宮闕，
是您蓋世功能的深厚造詣；
禮儀制度，文物典章，
是您德性規範的偉大典型！

啊，母親！
您有黃金的寶藏甲天下，
您有碧玉的山河湧詩魂，
您有創造的精神映日月，

您有青春的淑氣滿人間，
還有那忠義的清輝耀今古，
還有那綱常的浩氣貫卿雲！
您的住處是萬國的藝術宮，
您的家室是世界的文化城，
您的襁褓是自由神的熱血庫，
您的懷抱是正氣的大本營！

啊，母親！
您激越奔放的生命裡
輻射著兒女英雄的光彩，
您飽和著鐵血的生活裡，
爆炸出血淚豪傑的詩篇！
您的子子孫孫
在鏗鏘的大地上編織剛健的傳統，
您飛揚的史頁，一幕幕，
放映在浩浩青史的眼前……

啊，偉大的母親，
您不老的胎房，
不斷的生下勇武的豪傑，
不斷的生出光輝的英雄！
您生下投筆從戎的壯士，
您生下慷慨死難的書生，
您生下臥薪嚐膽的君王，
您生下不怕斷頭的首領，
您生下血濺仇庭的俠士，
您生下馬革裹屍的將軍，
您生下斬袍復仇的豪傑，
您生下挺身殺敵的少年！

啊，您的兒女，
誰在燕然山勒銘？
誰奮身代父從軍？
誰堅守夫人之城？
誰號令娘子之軍？

王祿松

寄蹟

白雲白鳥相來去，
青史青山自古今。

清・吳樵句寫意

誰輕生鐵椎一擊？
誰冒死收復百城？
誰海外孤忠報國？
誰北牢正氣浩然？

啊，您的兒女，
有的憑欄而怒髮衝冠，
有的出師而臨表涕零，
有的執笏而痛擊逆賊，
有的挖鼠而死守孤城，
有的雪髮霜頭猶立功異域，
有的拒絕草詔而十族誅連，
有的聞雞起舞更中流擊楫，
有的智勇兼備而凌煙題名！

或文章赤膽，殷憂先天下，
或詩魂熱淚，長刀割龕肩，
或貂裘換酒，心比男兒烈，

或幽蘭倒畫，披髮哭山人，
或縱橫南北，估價賣頭顱，
或彈丸城裡，一日百輸贏，
或死別生還，獨憑三尺劍，
或鐵頭噴血，心苦骨不甜，
啊，他們都是您的子孫！

是誰刀繩俯仰，「毋速吾死」？
是誰芒鞋簑笠，「以示陰晴」？
是誰潔身自愛，清操冰雪？
是誰詞嚴理壯，義不帝秦？
是誰不畏奸佞，口誅筆伐？
是誰七日痛哭，血取援兵？
是誰深探虎穴，盡得虎子？
是誰飛騎絕塞，石破天驚？

啊啊，
易水寒波

曾送去復仇的壯士，
首陽山巔
曾餓死採薇的先賢，
梅花嶺上
招魂燦爛的衣冠，
白雲山頭
繚繞磅礡的忠魂，
天津橋頭
曾成仁斷舌的血將，
汨羅江心
曾葬送曠古的詩臣，
那水深火熱
曾成全綿山的孝子，
那冰天雪地
曾保留北海的孤臣！

啊，母親，
這都是您的兒女和子孫！

他們是垂危國家的樑棟，
他們是陷溺民族的靈魂，
他們扶顚持危，
丹心爭光日月；
他們成仁取義，
俯仰無愧天人！
他們受您心靈的教化，
是您愛情的大結晶，
是您偉大德性的造型，
是您生命中的生命！

啊，偉大的母親，
您多麼值得慶幸，
您多麼值得歡忭！
可是如今，
您爲什麼臉上失落了笑靨？
您爲什麼緊抱著滿懷的酸辛？
爲什麼您臉上塗滿了悲苦？

爲什麼您眼裡垂下了淚痕？

啊，母親，
是您在向我搖頭嘆息，
是您在向我隱隱嗚咽，
是您在向我幽聲細訴，
是您在向我悒鬱哀鳴，
我聽見您沉痛的呼聲，
每當我午夜夢醒！

啊，母親，
我彷彿看見您哀哭細訴，
看見您垂淚指陳，
看見您悽楚傾吐，
看見您痛苦呻吟，
每當我憂時的熱淚盈睛，
您的容顏，我僾然如見。
我聽到您悲怨的音曲，

每當我靜思凝神。

啊，母親，
是不是您見到那邊
自由帶上了叮噹的鐐銬，
眞理被推上了黑色斷頭臺，
人性在荒冷的血泊裡哭泣？

是不是您看到
那淫邪摟抱著正義，
那罪惡謀殺了良心，
那色情奴役著美德，
那誑謊挾嬲著誠信，
那陰謀蹂躪著微笑，
那百惡毆打著五倫，
那褻蕩侮辱著愼獨，
那怒火炮烙著和平？

啊，母親，
是不是您看到那邊
那貪戾鯨吞了謙讓，
那殘酷支配著惻隱，
那懦怯褻狎著勇敢，
那肉慾侮弄著戀情，
那獸性虐待著孝道，
那猜忌劫掠著熱誠，
那暴力侵凌著理性，
那黑暗踐踏著光明？

啊，母親，
是您的兒女們不孝
帶來您顛沛的命運？
是您的兒女們不孝
使您這樣傷情？
可是，母親，
我們都願獻給您，

每一滴淚，每一滴血，
每一顆赤子的心！

二

啊，母親，只有您
最熟稔我們了，
正如春神之於蓓蕾、
如秋夜之於星群。
是您看我們在洪荒裡
雜獸群而茹毛飲血，
是您看我們自天地初闢，
從草昧進入文明。
您看燧人氏雙眼炯炯
鑽木取第一星火，
您看有巢氏撥開獸群，
把第一個家掛在樹巔，
您看見伏羲氏編織八卦，

第一次教人們結繩，
您看見在蠻荒遼野裡，
神農氏創作第一畝田，
使五穀豐登……

啊，母親，
是您扶第一隻獨木舟順流而下
看天水一色，
是您舉第一隻白帆在江海裡
迎風月無邊，
您聽見部落第一次的大合唱，
上遏行雲，
您聽到第一聲機杼的獨奏
織成了衣裙……
您看見運河在大地上奔放，
您看見長城的高壘插入天心，
您看見古老的擊壤歌
在大地的搖籃裡呢喃，

您看見忠孝的傳統和大同的理想
在歷史枝頭學鸞鳳和鳴……
（本詩全長九百二十行，以下取消之）

卷三 鐵血詩抄

（詩集）

二十五至二十八歲作品
民國四十七年獲文化獎
民國五十年，明光出版社印行
全集三十七首詩，選錄五首

序

王祿松

狂吻戰馬的櫻唇，摟抱沙場的臂膀，我的詩是在祖國的藍天下，吃時代的鐵奶頭長大的。

像鋼盔夢見火海，子彈夢著血光，我常夢燃燒的歌伴我走向世紀的黃昏、衝向歷史的夜、用染血的刀鍔砍擊時代的門……於是醒來時，我昂挺奮發，披髮高唱，我縱出靈思的犇馬，搖響不老的鐵筆，讓感情像滾響不羈的風暴，讓文字像燔燒憤怒的飛火——有如長虹蘸著大風在綠野上寫下一大片牛羊，我寫下我的詩。

我的詩是我烈夢的畫像，是我靈魂的譜曲，是我搏鬥生命的飛影，是我激怒心聲的噴泉。我用匆忙的彈道打稿，用鱻明的旗火設色；如鮑明遠的抒寫天文，謝靈運的吟詠山水，如陶元亮的歌讚田園，謝元暉的醉心草木，我狂吟著「鐵」和「血」。

雖則，詩中也繡著精美的柔情，鑲著玲瓏的微笑，編著芬芳的喋吻和熱燙的昵抱；然而，我用鎂光和陽火所組合的熱情，用樂譜和舞律所紡織的心靈、用海濤和月光所裝飾的生活，已隨著戰鬥的風沙橫過鏗鏘的鋼盔而嘯起尖厲的戰由，愛情之所得，是微乎其微的。

我愛軍中。軍中的一草一木，都可以跳出拿破崙。軍中的幾両風、幾斤雨，都可以擠出十來桶燦爛的凱歌。軍中的旭日噴火，夜月吐銀，長虹揮劍，彗星射彈……使我一舉手、一投足，都感到詩的存在、詩的顯現、詩的迸爆、詩的飛揚！所以，我歌唱軍中的生活，吟哦軍人的情緒。我戴太陽的黃金盔，穿月亮的白玉甲，騎風雨的烈馬，揚疾電的長鞭，搥雷霆的鼓鈸，舉火霞的旆旌，從容游泳入火海，慷慨挺身上刀山，而用憤懣的魂、悲酸的淚、愛的甜蜜、和搏鬥的辛辣，來冶煉我的詩，而也讓詩冶煉我。我本身就是「鐵血詩抄」。

屈指試算，生活在無葉的槍林中，四千粒太陽已拋過了我頭頂；而詩和我也長征了七年。七年，像橫過古印度的大森林之夜，沒有香帕花和伽藍鳥慰我岑寂，沒有夜鶯在頭上編一條銀河，沒有夜蝴蝶在腳下撒一把螢火來照亮我詩的前途。我被巨大的頑硬得像敵人的手臂的森林之夜脅裹著，而自己橫攬著勃壯的大青春，搏鬥著摸索著前進。我前進著，希望太陽從掌心升起，黎明自腳底開花；我前進著，忙碌像南非的秘書鳥，倥傯像美洲的合唱蛙，沒有安寧也不想休息；我前進看，希望森林垂下的數千羽翅，把我孵化成一隻航空的活太陽！我的步伐像飛尺，要量盡這詩國森林的最後一寸，而投向黎明，投向光！

唱荊軻的易水歌，舞祖逖的黎明劍，我的心常是濯足過大海，披髮上天山，要採星月做時代的襟花，摘太陽做國家的勳章！我的心要以戰曲發酵人間的幸福，要用詩句縫補破損的河山……

今天，我採擷心園的葩朵，編成方塊字的花環，敬獻給我半萬年高齡的民族。願時代的大手打開詩集的門，看國魂提著雪亮的詩句，頓足而起，暴跳如雷，長嘯而去！直取敵國的首級。

祖國的凱歌將變爲五月的黃鶯。敵人的血花將化成秋天的蝴蝶！

是爲序。

月夜登山

夜空像藍色的花園，盛開著雲朵、星斗、和月亮，
西風，猛揮過僵冷沉睡的高山；
十里莽林在顫抖，無邊野草在悲唱，
而我，用步伐震撼著萬頃堅石的胸膛。

都市的燈光，像千斗黃金抛落在我的眼底，
山群的遠影像黑盔衛隊，列立在我的兩旁，
這時，我馭著壯志的烏騅，戴上銀月的戰冠，
要征服宇宙的夜色，去俯拾太陽的勳章。

晨光

黎明把最後一隻古銅色的星斗趕下天空。
冷燐已滅，寒螿已啞，人世惺忪的噩夢已落荒而逃……。
千匹雄風的蹄甲，勃勃踏過大地沉睡的草原而馳騖，
塗一臉火焰的朝陽，嘩笑著游上來，
抬高了萬民的頭。

鵬鳥揮著大羽扇躍入天心，
雄獅舞動健爪抓醒了地殼，
那森林震撼的呼嘯裡，有無數隻鶯色葉在紛紛墜落……。
露華如千斗小鑽石，被陽光拾起
抛向蕪亂的奔雲，
數不盡枝頭如鈴的蓓蕾，綻開的迸爆聲響徹人間！
萋萋的荒塚，僵冷殘碣，也都穿起了陽光的金絲衣，
赤裸裸的土坡呀，已給春天用綠澄澄的細草織滿……。

江水揚著藍閃閃的鱗甲，
雄壯地騰動了起來！
而整個自由島，在太平洋中仰泳著！在歌聲裡仰泳著！
仰泳著，前進！

戰歌

我慷慨地扭斷了心弦狂奏出的大悲泣，
我撫摸著槍的臂膀，熱吻著戰馬的櫻唇。
在心的頑石上，我用熱血磨亮鏗鏘的詩句，
復在大軍旗的投影下長嘯一隻世紀的征歌！

不計乎將變成一泊凋殘的血花或沉睡的枯骨，
要在子彈的雨季裡，擁抱戰場的豐收！
啊，看我用大刀做犁，耕耘那荒蕪了自由的大地，
——知否我的仇恨壅塞在心頭，似葡萄結滿了深秋……

在此嫩虹的彩芽向碧空招手的日子，
我的腦軸展開一幅彼岸土地的痙攣畫像。
是誰？是誰使我耳朵的手臂，摟抱一支蹉跎的喪歌？
是誰啊？是誰使我的腳印像流浪的羊群，落在島的巨掌上。

我不能用笑串起幸福的生活成花環，套在大風暴的世紀的頸項上呀！
我不能讓夢魂和凍淚，徒化爲生命冬天的積雪呀！
給我以凱旋門，或給我以國殤，
我的大刀！我的戰馬！或「一去不復還」！

徹夜行軍

夜睡在天空裏，蓋著銀河的被子，
明月晶亮的巨鎖，鎖住了九天彩霞。
田疇在山腳下酣睡，蛙聲吵不醒它，
高山啊，像是不眠的鐵馬——
萬家燈火被踩碎在牠的蹄下。

大軍行進著，我們用腳步聲飼餵著大路，
行進著，像千顆不落的流星飛掠在銀河兩岸。
失眠的月亮睜著它明媚的大眼顧盼我們，
夜空啊，像古希臘的圓劇場——
繁星坐在自己座位上欣賞這徹夜行軍。

多翼的風，撒一把語言在竹林的髮裏，
霓虹燈在江波上擺攤子，販賣它的金和銀，
細浪爭吃著閃閃燈影，燈影競飲著粼粼細浪，草蟲啊，紡製的音符落在我心靈上——
綴成一隻玲瓏的夜曲，洗褪了疲憊。

大路喝著月色，星斗飲著夜光。
步聲鑲繡上大路的寂靜，大軍行進著。
伸手入天空，換下那明月爲朝陽吧，
大地啊，看旭日揉揉眼睛亮了起來——
那山那河，那繁華城和遼原，都穿起了金裝。

附記：五月十七夜，陸軍總部舉辦軍官團徹夜行軍訓練，大隊人馬徒步至天亮始歸。解散後，我獨入一小店用早點，便在一張包油條的白紙上寫下這首詩，時晨五點半耳。

明亮之歌

島拍醒了東海，
雲上寫著歌聲，
眞理與正義將太陽燃點得異常明亮，
祝福飛翔著。
這是金色的，飆旋而來的季節啊。

音符們已趕回到緘默的唇，
我們的頌歌啓航了，
在歲月的海流，在風雷的火季，
連那走著白羊群的太空的斜坡上
都被撒滿了多翅的歌聲。

曾是，在勃壯朗健的手勢揮動下，
我們擎穩傾斜的天體，
向透明的時空，我們揮灑典麗的音符，

將不馴的歌聲築成鐵流湧動的長城，
我們多繭的盤結著筋脈的大手
是握住了五千年啊！

而今，我們將關河歲月中的風雪，
煉成國族的鋼，
用嘯聲編著花環，
在東海燙金的藍色封面上，
是巨大的金陽閃光的告示。

我們將化雙臂為大海，
擁神州而歌唱！
濃睡在槍口的歲月已醒轉，
撞針來複線，要縫補被撕裂的山河。
歌著萬炬的歌，我們將
銳不可當的，揮著鋒利的韜略前進！
明天，喚太陽為耕牛，以光的犁

墾耕那荒蕪了快樂的，被淚水浸沒的大地的酒渦。
哦，幸福將被日月星辰點燃得異常明亮啊。
而今天，
蝙蝠飛著，麋鹿舞著，松柏青翠著，
我們如大江之決的歌聲在奔放昇華！

卷四　海的吟草（詩集）

二十七至二十八歲作品
民國五十年，明光出版社印行
全集六十三首詩，選錄十首

「海的吟草」序

紀 弦

在我們的這個詩壇上，今天，主要的有三種詩型，三種創作路線：一是戰歌；二是自由詩；三是現代詩。而在我們的詩人群中，有的長於寫戰歌，也有的長於寫自由詩，寫現代詩的，各依其氣質與才能而定。但兼長其中之兩者乃至三者皆擅長的，實不多見。而詩人王祿松，則係有著多方面的才能的一個。他能寫上千行的長詩，也能寫俳句般很精鍊的短詩。他能寫有聲有色的戰歌，也能寫很漂亮的自由詩。而他的題材是廣泛的：宇宙之大，蒼蠅之微，無不可以入詩。

我跟祿松兄只見過兩三面，可是印象極佳極深。他的一雙大眼睛，閃耀著一種遮不住的智慧的光芒，而他那掛著微笑的整個面型，則顯示著一股朝氣和一個堅强的意志。作爲一位青年軍官，他那不平凡的氣概，松一般的挺拔之姿，給人以凛凛颯颯之感，是夠英雄的。至於他那卓越的詩才和可驚異的表現力，則尤其令我高興和他做個朋友。

祿松兄的詩是有個性的。凡有個性的都是我所喜愛所尊敬的。凡不以抄襲模仿他人之作爲可恥的都是我所深惡痛絕我所瞧不起的。而祿松兄之所以受我重視，就是由於他的作品是獨創的。他的風格與衆不同。充滿了在他的詩中的，有一種鏗鏘的刀劍聲，一種鷹的呼喊，和一種澎湃的海潮音，那是聽了很過癮的：一種陽剛之美。而這陽剛之美，不僅支配了他的第二詩集「鐵血詩抄」，而且在他的第三詩集這部「海的吟草」裏也是佔優勢的。他以豪放的旋律與强明的節奏引吭高歌，他整個的生命就好比是一面敲之鼕鼕的戰鼓。在這個詩壇上，眞正能寫戰歌的，不過兩三個。而祿松兄的戰歌，的確足以當「時代的喇叭」之稱而無愧了。

祿松兄同時又是一個自由詩的選手。他的自由詩多半是抒情之作，充滿了熱與力，而每每藉詠物與寫景以抒發其開闊壯大的情懷。在他的抒情詩中，找不到一絲感傷的成份。我們常常可以聽見他在詩中大聲地笑，笑得那麼爽朗。所以我說，他的詩是健康的詩，積極的詩，這正是我們這個詩壇上所罕有的，這一點，非常的珍貴。我以爲，那些工愁善病的才子們，應該向祿松兄的這種人生態度多多學習。

說到祿松兄的表現手法，則無論是戰歌或自由詩，他都是長於形象的捕捉與描繪的。他在用字方面非常考究，尤其是動詞與形容詞，用得眞棒。而當你步入他的詩的境界時，你會感到那是一個充滿了陽光的天地，而萬物欣欣向榮。

收在這部「海的吟草」裏的祿松兄的作品，大部份是抒情的自由詩，都是產生自他的軍旅生活之體驗的眞實的詩篇，篇篇值得一讀，故我樂於爲之序並推薦給每一位愛好新詩的讀者。

中華民國五十年十月十日，紀弦序於臺北。

季節奏鳴曲

夏

夏天的步伐航行著，
大路似一條火焰質的內陸河，
玻璃色的風的手，摘不完行人額上的汗珠。

透視於長風的三稜鏡，
少女酥胸上金色蝴蝶結喘著氣，
我的鋼筆也喘著氣，且流寶石藍之詩汗……

火季

大蒲扇如獨翅禽之狂飛，
啄吃人們額上纍纍的銀豆。
太陽縱火焚天，鳳凰木烈烈狂燃，

臺北盆地如火焰的缸，游著少女的金魚。

仰首，龜裂的焦山黃雲喘著氣，
著火的天風喘著氣……
但也有穿毛大衣的遊者，披冬裘的泳者，
那是：用舌旌打著旗語的狗，和積雪般的鵝。

秋

新月像軟軟的銀弓，
射出一支雁的長箭，
向藍茫茫的雲涯……

原野是一隻淡綠色的古琴，
柳的弦
響著孃孃的風的清韻。

我心的銀池，

晴巒

晴巒聳秀，紺宇凌空
不分町疃，盡為煙景

明・計成句寫意

是誰撒滿了唱片似的漣漪，
戰慄著，一池失戀的碎萍……

金季

帶著愛長嘯之風箏的秋風起了，
仰首——島上多翅的椰樹，滿天亂飛，
但它的根爪卻仍抓緊了黃金的大地。
何處風流的櫻唇把玉笛吻得嬌喘羞笑，
使渾身都是耳朵的楓樹，聽了醉得鮮紅，
而金葉也漫天漫野地鼓掌。
來到湖畔，那繫著戀語的柳索斷了！
斷了……空餘陣陣秋風如軟尺，
量著我心中褪色的大沙漠。

冬

松濤怒捲起冷凍之浪花的冬，
人們把身子裝入萬噸棉袍；
便有許多活的蒙古包在大地上遊歷。

爐火也咋舌地寒冷喲！
有詩人狂吻酒罎的芳唇，
且用醉了的指，叮咚敲著春之詩句的綠門。

喃喃！
風雪如詩人，越笑越成癡，
癡人如風雪，愈笑愈成詩。

銀季

冬天的種子，沉睡於地殼的暗室，
悄悄地……做著萌芽之夢。
冬天的雛鷹，睡在草窠的臂彎裡，
做著雄壯的，掠長天而飛翔的夢……

而北風的冷手，把我冬天的夢摺起來了，
——摺成一個屬於火焰色的信封；
它裝入子彈憤怒的誓言，
它裝入旗旌飛翔的希望……
然後，貼上寒梅的笑靨的郵票，
透過銀冷的風雪，寄向故國之春。

春

春！
風兒從植物的心裏掏出數不清的花朵，
枝柯們伸出葉的嫩舌，吮飲如乳的風。
春！
許多小甲蟲被春神的裙影染綠了，
禽鳥的喉，流出玲瓏的音樂溪。

哦，太陽的金熨斗，
是每天都要
一熨那被雪花揉皺了的天空的。

月亮的銀鱆魚，
按時自森林之藻影泳出，
以銀爪，抓起無量男女的戀之夢。

而每一黃昏時刻，
戴花的樹騰其彩手，撥開領空的鵝色雲，
讓大地滴滿了琥珀色的星之輝……

視春的綠笑如詩，詩友狂歌，
狂歌的詩友們呀，
聽我心中響怒濤……。

綠季

穿著草綠的軍裝，
踏破冰雪，
你摟著天鵝絨似的地球來了，
像全盛期的英雄拿破崙！

你擎著桃李的火炬，
吹起雄鳥的鐵哨，
抖開大風的戰旗，
啊喲！
把橫行的冬天迎頭打敗，
把凍僵的青春從根救起！

燃燒的太陽是你的彤盾，
萬里霞錦是你的頭巾，
你揮著七色飛虹，
騎山影的綠馬馳騁！

黎明是你壯麗的先鋒，

射出炫耀的金絲箭，
暮色是你蒼茫的後衛，
擁來了熠燦星兵！

你的步伐是迸瀉的江河，
號角是猛厲的鷹鳴，
步裡有千古魚龍激躍，
號令能石破天驚！

啊喲！
戎裝的季節！
大英雄的季節！
使江河的鐐銬化做溶溶春水，
使白首的荒山拾回蔚綠的華年，
使痛苦的落葉與痙攣的爛泥
蛻成飛天的蜂蝶！
使僵冷荒蝕的思想
爆炸出怒吼的詩篇……。

向海洋

鮮白的三角帆，是我耳朵，
帶著浪珠之瑪瑙墜的貝殼
和招潮蟹的舊鎧甲，也是我耳朵；
我有萬扇不同的耳朵，
共錄這藍色大唱片的長歌。

而我的手喲，
是摸入海之睡衣的長珊瑚，是老星魚，
是浮沉多指的犇鱆和紅藻……
我的手
擒拿著一海橫行的怒濤。

列島

穿著潮音的列島，
是淺水魚的重鎮，銀鷗群的綠驛站；
堆疊著，載運著粗糙的黑雄礁之夢！

啊啊！是一隊勃壯的礦色漁人，
何懼夫萬匹鯨蛟的圍攻，
悠悠然，在做千古不沉之仰泳。

醉鷗

他以雪亮的翅刃削平嶙峋的怒濤，
便獨醉於萬瓢青沉沉的酃淥。
後來又活吞一條大飛魚和一枚猛然爆炸的巨浪，
使自己如積雪的健身傲然騰起。
而顛顛倒倒地，斜持著雙白刃，
蛇閃疾飛入初升的海月裡砍桂樹去了！

附錄

葉魚的泡沫

——自介「鐵血詩抄」的誕生——

一

「鐵」和「血」是大革命塑像上的眼睛。「鐵」和「血」是時代的羽翮，是正義的光片，是人類爭自由的火和劍。

那雙眼如火、拳頭上冒著青筋的「最大的歐羅巴人」俾斯麥，是執著鐵和血的。那挺身橫過埃及沙漠、烈怒如雷地揮著他的元帥棒的蓋世之雄拿破崙，是執著鐵和血的。那用兵馬的激流沖洗萬國，揮著「上帝之鞭」怒吼著「去欺侮那些欺侮我們的人」的成吉斯汗，是執著鐵和血的。

鐵和血使英王垂頭簽訂了憲法。鐵和血使美利堅的獨立宣言蛻化為事實。鐵和血使解放黑奴的法律生效。鐵和血使普魯士的一百二十萬部隊肅然向萊茵河進軍……

鐵和血使法蘭西的巴斯底爾監獄的鐵門大開，造成法國大革命！鐵和血使美國的革命旗幟飄揚在巴克山並使鮮紅的聖汁媲美雪峰的龍膽草！鐵和血使我們的祖國從五千年的專制鐵圍中昂頭長嘯而出，衝向自由，衝向新生，邁向新路，奔向偉大的光明！……

所以，我歌吟，我鼓動，我呼籲鐵血的復活，我歌讚鐵血的再生，我是鐵血的鼓手，我出版了「鐵血詩抄」！

鐵血詩抄出版了，讓千百位讀者去讀，去吟，並批評，指導，或贊成，或反對。

鐵血詩抄出版了，每一首詩該看成一位戰士。這並不是出版詩，而是誕生戰士。一千位戰士出發了，前進！

二

陶潛擲了烏紗帽，潛回自然，採菊東籬，寫他的田園詩，飲酒詩，他有著他的人生觀。王粲以楚辭式的憂傷音量，抒發他的情懷，他的「登樓賦」，有著他的時代背景。雖云不敢望先賢之項背，但我的作品的時代背景和人生觀，亦自有著。爲著要「祖國的凱歌變爲五月的黃鶯」，爲著要「敵人的血花化成秋天的蝴蝶」，所以我願我的詩是出征的勇士，是跳出詩集奔赴沙場的英豪。我爲我的詩句們穿上時代的戎裝，而且，教我的詩句打槍！

「以犬羊之質，服虎豹之文，無衆星之明，假日月之光」（曹丕句），哦，我竟想做個詩人。英國白金漢宮有一種「葉魚」，整個身體薄得看不見厚度——我想我的淺薄正好比英國葉魚了。則我的作品，豈非葉魚之泡沫乎？故於此，我願借古人庾信的兩句話來結束我的鐵血詩抄的自介，這話是：「陸士衡聞而撫掌，是所甘心；張子平見而陋之，固其宜也」。

卷五

歸意集（詩集）

二十七至二十八歲作品
民國五十一年，明光出版社印行
全集七十六首詩，選錄十首

黃鶴樓

滿天詩意沒人管，
只有大風倚樓發浪吟。
長江是一杯洶湧的濁酒，
醉斜了征帆成千。

誰能熟讀歷史的雲煙，
只有黃鶴樓，千古獨坐悠然。
崔顥的詩句是兩行秋雁，
款款飛入我透明的詩心。

訴月樓

訴月樓位於太湖。

明末，東山一志士名路文貞，奮起抗清殉難，後人爲立專祠，祠旁一訴月樓，懸有路文貞的遺詩：「中藏萬頃愁，欲訴湖心月；事事痛關心，先從何處說？」滿腔幽怨悲憤，二十字表達淨盡，壯志千古，人詩同其不朽。

壯志盈懷，
壯志盈懷，
心底有多少江山，
待從頭安排！
盡挽長天星火，
想煮沸九州熱血；
借來萬頃怒潮，
盪不平滿腔壘塊！

生時，幾點憂國淚，
曾經把湖山滴綠；
死後，一顆傷時心，
常抱著江月生哀！

如今，大漢雄風，
常上小樓徘徊；
牛斗無聲，夜雲頭白，
長伴忠魂千載。

月歸人未歸，
長照湖山呈黛；
是詩魂引來明月，引來明月，
夜夜向樓頭垂淚！

火焰山

火焰山位於世界最熱處的吐魯番盆地中。

我想掀開火焰山的下顎，
拔出它火舌如虹……
是人間多少個長夏，
鑄造成這副尊容？

我想揮巴掌如巨扇，
化五指爲長風，
使雄飆發自腕底，
把此山一掃而空！

棲霞山

棲霞山爲南京秋色之仙鄉，位於城東北四十五華里，山高一百三十丈，週迴四十里，紅葉滿山，如珊瑚海，亂紅疊翠，色秀江南。

是滿天彩霞飛來山上做紅葉，
還是滿山紅葉飛向天邊做彩霞？
當我挾著斜陽，邁上山崗，
我的詩心被熊熊的葉火，煮得十分斑爛！

是一抹斜陽煮熟了萬頃紅葉，
還是無邊紅葉煮熟了一顆斜陽？
當我披著明霞的金縷衣，步上山崗，
我的歌風，把紅葉吹起像火蝶飛揚！

南湖

清風倜儻，
攜著綺霞遊天際，
畫舫風流，
馱著斜陽過小橋，

蒹葭是白首詩人，
埋頭於清風明月，狂吟日夜。
流鶯是紅顏歌女，
偏愛著丹葉紫泥，依戀湖山。

波鏡窺容，月梳掠鬢，(註)
銀夜萬籟裡
邀來灰雁如湖山詩人，
凌空而口占。
柳線繡風，燕剪裁雲，

金風一笑中，
引得紅葉像胭脂美女，
坐滿了枝頭。

煙雨樓端，
清風擁吻著流霞；
血印古剎，
詩僧抱得落日歸。
哦，搭上雁陣的羽箭，
誰挽暮虹射落日？
揮起詩句的壯臂，
我挾南湖上青天！

註：「波鏡窺容、月梳掠鬟」乃馬士圖所擬鬱金堂八景之句。

快閣

快閣，距紹興城西南三里許，於鏡湖絕勝處也。閣宇臨湖而建，爲當年陸游飲酒賦詩處。推窗望遠山如黛，隔湖有良田千畝；東向林叢外，塔尖摩空，平水生雲彩，槳聲漁歌濃。詩人俯仰其間，情懷曠遠，豪興自生，曾自吟曰：「橋如虹，水如空，一葉飄然煙雨中，天教稱放翁。」然哉，天教其稱放翁也。翁爲我國最多產詩人，都其一生詩稿，多耕萬首有奇（見陸放翁全集中之劍南詩稿），多熱血男兒之聲。殆非天授巨筆振我國魂耶？而情思何其雄快乃是！

水把雲朵的肖像擁在懷裡
變爲白蓮千叢，
橋把自己的影子投擲到天上
化成萬丈長虹，
紫雲英、綠豌葉、黃菜花！
都像唐人的絕句，題在田畝中。
青山含情展繡扇，

流水繞客響芳琴，叮咚！
樹草翡翠碧，
日月瑪瑙紅；
快閣臨流對景，
該是詩興千鍾！

誰是南宋鐵漢，
丹心血火紅。
橫起禿筆做扁擔，
一肩挑盡名山和大海，
魂化猛虎魄化龍……

啊，雲霧鼎沸，仙魅千種，
我已看見了——
萬山跪地齊俯首，
青天彎腰一鞠躬
——當我身臨快閣、而
心在放翁詩魂的最高峰！

酒泉

祁連山高峰的雪水溶化下來成了許多河溝，這些地下雪水流到酒泉城東而湧出之泉，當地人多取此水釀酒，濃郁芳烈，故名酒泉。

斜陽把天空的眼淚
編成斑麗的虹彩；
祁連山把冰雪的眼淚
濾爲醇美的酒泉。

「酒泉酒美泉香，
雪山雪白山蒼」，(註)
秋草外，一股泉氣，
也能醉倒駝隊與牛羊。

我想一口氣吸盡萬泉，
然後，移來雪山做枕，

把雷霆納入我的鼻管裏打鼾，
一覺睡千年，枕爛祁連山。

註：于右老詩句。

附錄

血液裡的行進曲

我的淚珠該在面頰上散步了。

因為我精確地統計過，到今天止，我的債務已達九千五百五十五元，而我每月的薪金只是三百二十元，而薪金已特准透支到明年五月份，換言之，五十二年五月份以前，我都會泡在「窮」裡。是的，我該戰慄。

然而，我捏著拳，橫著心，用堅毅的微笑淘汰了滿面的憂慮。仰望高入雲霄的債臺，只停了一停，我又前進了。

是的，我必須印書！印書！印書！印書！

我對朋友說：「我站起來時，重視我；我前進時，為我喝采；我死時，埋我。」歌著張可久的「慶東原」，我不可侮地前進著。大孤獨，大憔悴，偏激而又頑強地。是好朋友們勸不住的。是愛人擋不住的。是大窮困大痛苦大血淚阻不了的。

我必須前進！

我就是一支前進曲！

我血肉在燔燃，精神在鼎沸，意志在飆衝。我桀戾地挺赴，狂猘地悍犇，蠻狪地前進。我血肉裡有菲特烈大帝在吼：「所謂勝利，即是前進！」我髮膚裡有威靈吞公爵在嘯：「不勝不止！不死不休！」

哥倫布說：「航！航！航！繼續向前航！」現在，我就是哥倫布。福熙元帥說：「攻擊！攻擊！攻擊！」現在我就是福熙。

我看見巴律西拆門板，我看見武訓在啃蠍子，我看見甘地在紡織。我看見唐玄奘在越大漠，我看見勾踐在泣嘯，我看見居禮在煉鐳。我聽見悲多芬粗嗄的嗓音：「通過大痛苦的大歡樂」。我聽見拿破崙的嗥吼：「我最大的敵人是自己」。我聽到林肯的尖響：「或崇高地獲得；或卑賤地喪失！」我聽到希特勒在咆哮：「不戰鬥就是投降！」我聽到凱撒在呼咤：「我來了！我看見了！我征服了！」……前面有雨，我前進。前面有血，我前進。前面有火，有刀山，有箭板，我前進。前面有奈何橋，有枉死城，有但丁的煉獄，有歷史上驚心怵目的里斯本苦刑室，有普洛米塔斯高峰和啄心肝的巨鷹，有席斯孚司的永恒大石，我前進前進前進，不已不已！

上帝年年在阿爾卑斯山上創造奇蹟：冰層的硬殼上，龍膽草在開花，奇妙的熱度使積雪流淚。英吉利的倫敦焦土上有奇蹟：火場花在廢墟中勃發如霞。歐羅巴崖石上有奇蹟：石花專門在懸崖上表演生存。這是反抗！這是創造！

人間代代有奇蹟：文王作周易係被紂所拘。孔子作春秋是致仕以後。屈原被放逐而有離騷。左丘失明而有國語。孫子臏足而有兵法。韓非囚秦而有說難孤憤。司馬遷被閹而作史記。呂不韋遷蜀而有呂覽。這是反抗！這是創造！

魯濱遜飄流記是在苦難中寫成的。天路歷程是在苦難中寫成的。席勒最有價值的著作是在十五年久病中寫成的。悲多芬最偉大的樂章是在喪失聽覺的悲苦生活中寫成的。還有愛倫坡的「烏鴉」，路德的「聖經」譯本。還有哈姆生的「饑饉」，綏拉莫維斯的「史詩的鐵流」……這是反抗！這是創造！

拿破崙曰：「貧苦與缺乏，是優良士兵的優良學校」。蕭萊斯說：「愛迪生是被折磨成功的」。

今天我窮，我用窮來寫詩，用窮來印詩。我想到炸斷左臂的納爾遜說的：「甚麼是危險？我從沒有看見過危險！」我想到仲斯在幾乎覆亡的海戰中對敵艦司令的頑強的回答：「不！我還沒有開始打呢！」我想到「荒漠甘泉」的名句：「抓住一個黑暗的失望，把它劈開，從其中抽出恩典的寶石來」。我想起「菜根譚」的警語：「非盤根錯節，何以別攻木之利器；非貫石飲羽，何以明射虎之精誠；非顛沛橫逆，何以驗操守之堅定」。聖哉斯人！信哉斯言。

蘇格蘭有諺語：「杜爾欲知之，則必知！」我心頭也欻動著一句話：「祿松欲行之，則必行！」梁啓超在「俠感」內說：「俠轟轟，似荊卿入秦；氣昂昂，似翟義從軍」。然哉！這正可做爲我當前印書情緒之堅毅寫照。

「日子像籠子裡許多鳥，我們不是由於佛家的仁慈，而是由於不得已才必須每天放一隻。而放出的每一隻，便永遠不再回來。有時候，我們眞應該擁抱這些鳥而痛哭，哭它們不得不違背人意的飛走……」（「海艷」）。每念及此，我眼中蘊淚。自念以偷生之身，懷虛生之憂，寫些覆甕詩章，自費出版。豈爲釣千古之譽，冀免有唐衢之哭而已。

「黃金若糞土，肝膽硬如鐵」（石達開句），雖債積如山，憂長如水，可是，貧困乎！貧困乎！「你家門前的石獅子，也不會像我待你那麼冷酷了。」（但尼生句）

卷六

萬言詩（詩集）

二十六至二十八歲作品

獲學藝徵文比賽新詩獎

民國五十一年，明光出版社印行

全詩五千八百七十四行，選錄第一章

王祿松詩・畫
詩愫飄游青嶂外，文心
飛撲彩雲間。長歌直欲
凌霄去，海闊天遙夢亦
閑。（思飛詩）

展望

世界三千藏粒粟
江湖萬里付浮萍

明・王復明

「萬言詩」跋

鍾雷

祿松的「萬言詩」，經過辛勤的創作歷程，現在出版問世了。這是一九六二年詩壇的一件大事，也是中華開國新的半個世紀起步時文壇上的一項壯舉！

青年詩人王祿松，以及他的威風凜凜、儀表堂堂的作品「萬言詩」，是踏著大戰鬥時代的旋律而來的。他揮發著誠摯而又深厚的民族情感，謳歌著忠貞而又濃郁的愛國熱忱，把他的生長而冶鍊於革命戰鬥中的意志和情操，化爲沸騰著的鮮血熱淚，化爲燃燒著的詩興豪情，以痛苦的煎熬昇華爲淋漓的抒放，奔騰澎湃的寫下了這首長達五千八百七十四行的萬言長詩；他的才華使人折服，他的氣魄使人欽敬，他在作品中所蘊發著的强烈的熱愛鄉邦國族的詩心與鬥志，尤其使人爲之激起了無比的感動和共鳴！

在「萬言詩」中，祿松用著與三山五嶽共其高遠的意境，來刻繪三山五嶽的崇峻與雄偉；用著比長江黃河更爲奔放的筆觸，來描述長江黃河的源遠而流長。五千年的光輝歷史文化，數萬里的錦繡河山大地，都在他的筆下展示著不朽的生命與永存的精神，而交織成爲一篇黃帝子孫成長奮鬥的史詩，也譜製成了一首中華民族光輝絢燦的樂章。這一部泱泱的鉅構，不僅只是屬於詩人王祿松的，而且也應該是屬於我們所愛的國家民族的禮讚，與我們所處的戰鬥時代的頌歌。

我們極目於今日自由中國的詩壇，雖然到處可見奇花異草，但缺乏的卻是大樹參天。「楊柳岸曉風殘月」和「玉樹後庭花」不但使人心寒而氣短，同時也經不起時代巨輪的重量與音量的考驗，唯有「大江東去」與「出塞曲」的慷慨激昂，才正是適時適所而振奮人心的藝苑鐘聲。讀「萬言詩」，令人有拔劍起舞、投鞭斷流的如虹壯志；讀「萬言詩」，令人有痛飲黃龍、勒石燕然的凌雲雄圖！而震聾發聵，興衰起蔽，黃鐘大呂之「萬言詩」，實爲今日動員的號角，明天戰鬥的凱歌。

我很榮幸能對祿松的大作原稿「先讀爲快」，更榮幸的是又應祿松的函囑替他這部偉大的詩作寫「跋」。我跟祿松頗有一些相似之點，例如，第一我們都是在戰鬥生活的餘暇開始寫詩的，第二我們又都是結合著生活的實際體驗而偏重長詩的創作，（甚至上官予曾說祿松在氣質與儀容上都很像我的兄弟）；但是，我自慚在這兩方面的貢獻和成就都趕不上他。如今，我既已自軍中退役，又將從詩的行列中退伍；讀「萬言詩」後，興奮不置也感慨不已，寫「跋」固不敢率爾操觚，而基於詩的精神，文章的道義，藝術創作的人格生命，以及戰鬥時代中兄弟伙伴們情感的互策與交流，乃僅以此短文，祝賀祿松的努力和成功！並將他的嘔盡心血的傑作——「萬言詩」，掬誠的推獻於千千萬萬熱愛國家民族而又熱愛文藝與詩的讀者之前！

五十一年三月三日——臺北

懷鄉（摘自「萬言詩」）

引

故鄉是精緻的詩，題寫於祖國的絹。

故鄉是不朽的糖，永遠甜在遊子的心上。

哦，我懷念故鄉。那面面青峰開繡扇，「處處碧水吻小橋」，椰風蕉雨是風流春天的侶伴，黃橙綠橘是嫁給秋光的新娘。夏淨黛。冬銀冷。四季都有人挑著詩句來叫賣。詩句，是我故鄉的特產。

忘不了故鄉的鶯梭、織促、爭繡我錦一般的童年。忘不了母親溶溶的長髮、小戀女眼裡的秋波、澎湃的草海、甜冷的星河、洗亮我玲瓏的小歲月。忘不了五月的榴火、七月的螢燈、九月的紅葉、煮沸我燦爛的年華……

在故鄉的原野，清風把唱民謠的小鳥送上樹梢，遠足的流水，攜著完婚的落花在郊野裡徜徉。草地是牛羊的翠亮的餐廳，長空是鷹鷲的透明的洞房。……在庭園，提著掃把到庭除，掃得一大堆，不是落葉而是昆蟲吃剩的詩句。在菜圃裡捉蝴蝶，一伸手就握著了大把的陽光和千萬朵鳥聲，與群童嬉逐，一攘臂便觸著大堆濃甜的幸福，一蹦跳便踩著大片沉澱的蟲聲。……

藉故鄉紫色的泥土，我種植過光明的種籽，撒播過閒暇的笑聲。

如今，海角的驚濤，淘不盡我的悒鬱。我常用異地的秧針、柳線、縫補我破的記憶。

十一年了，我握別可愛的故鄉。

我抱著天涯的臂膀悲唱。唱我凋零的童年和飛揚的歲序，唱那埋在荒草裡的牧歌和荒蕪了的一片歡笑。我結識海角健康的太陽，卻忘不了故土病瘦的月光。我病溺鄉愁，栖栖皇皇，用未老的白髮蘸夕陽的紅淚，寫下一首懷鄉詩，約有兩百來行長；打算用大夢摺成藍信封，用小夢貼成青郵票，遣一隻筋骨健壯的詩句，越千山更萬水，捎給我的「衣帶日已緩」的故鄉。

我眷戀，可愛的故鄉。

鄉心是夕陽生下的蛋，被黃昏孵化向夜飛翔。

鄉愁是不朽的黃連，永遠苦在遊子的心上。

我有一朵故鄉，

甜美地盛開在國族的枝頭，

它身畔襯托著一片葉綠的大海，

像一盞被夏火點亮的牡丹。

哦，故鄉，

故鄉是艷服的花卉，
常向我心田輸香；
故鄉是金嗓的雲雀，
飛入我心野演唱；
故鄉是入浴的蝴蝶魚，
在我腦海裡浮泳；
故鄉是一滴晶亮的甘露，
滴在我祖先的
秋海棠葉上！

不是那兒的秋山出版更多的紅葉，
不是那兒的春野澎湃更濃的花浪，
只緣，我在那兒生長，
它便成了我心中的仙苑。

哦，也許，
是故鄉的明月裡
多住著幾位嫦娥，
也許是故鄉的溪流

挾著更多的琴音與歌謠；
要不然，爲甚麼
那兒的一撮枯花，
我也愛它勝過異地的萬葩怒放！
要不然，爲甚麼
那兒的一堆牛糞，
我也嚮往它
勝過海外的千頃玫瑰香！

故鄉的泥沙有遍地的軟唇，
它們曾爭吻我童年的腳印；
故鄉的清風有長長的羽翅，
帶我錦繡的牧歌飛揚；
故鄉的陽光
是伊士曼彩色的糖，
曬在身上，肌膚也散出甜香，
就是故鄉的乞丐
也都那麼富有——

因爲他無須飄泊流浪，就擁有
享用不盡的鄉土溫暖……
「老富不如少貧，
美遊不如惡歸，」
我豈能讓澎湃的光陰
淘盡了滿頭華髮
而屈辱異域，棲遲悲唱！
故鄉啊，我懷念你，
在夢魂中，在心坎上……
仰首長天，
雲錦悠揚，
我的心兒
揚揚飛向白雲的深處，
我的心兒
已悠悠飛越了重洋……
啊，飛揚，飛揚，

飛揚，飛揚，
哦，我的心靈觸著了
故土的春光，
這遍地是紅潤臉孔的花朵，
一朵朵深深的笑渦，
吐著芬芳，
那是春神從樹木的肚腸裡
掏出的萬盞花光如萬家燈火，
把新生的大地照滿溫暖……
輝煌的大地
與花海同色，
喜躍的遊人
共春鳥翱翔，
薰風用透明的手，
掀起江流身上的鱗甲，
淑雨多情地撫慰著
青山綠毛茸茸的胸膛；
牛羊在春野上散步，看花，

歌著嘹亮的詩章；
綠葉們沒有事做，
靜悄悄地坐在枝頭曬太陽，
凍結瘖瘂的小河
撕開自己身上的玻璃片，
嗞喳嗞喳地倩笑歡唱，
太陽在遼天裡盡情縱火，
把天空裡的積雪
燒化成金瀾……

萬紫千紅的立體大風景，
一同跳上原野的大胸膛，
布穀鳥是許多無弦琴，羽毛琴，
在遠林的翠色百葉窗後
被微風輕輕彈響。
田疇裡的秧苗，
吮飲如乳的春水，
搖晃著自己的輕舟

努力地膨脹；
每天，聽見水車歌唱的時候，
朝陽便在村後田野裡偷吃露珠，
遍地的無名小花，
也努力發香。

我更忘不了，
故鄉曾是我初戀的溫床，
那位大眼睛的
短髮長頸的姑娘，
曾給我以心跳的情感，
我記得，那
原野是一隻淡綠色的古琴，
柳的弦絲
嬝嬝地響著群童共嬉的歌唱，
就在那兒，
我曾爲著捉迷藏，
膽怯地觸及她的臂膀……

當我用歌聲買來春神的花瓣
串成春神項鍊般的花環，
就在那座山崗上——
我們倆初識的地方，
美麗的大花環
從我手中跳起，
抱住了她的頸項……
啊，我難忘
喁喁私語中，我們並肩
欣賞漁船載著滿艙晨曦
在春江上揚帆；
啊，我難忘
悠悠輕歌裡，我們並肩
望一群樵童
挑著斜陽下春山。
那巍巍山崗
是我們的綠椅，
那蒼蒼森林

是我們的陽傘，
那唧唧草蟲
是我們的樂手，
那瑩瑩春星
是我們倆並肩歸去的燈光……

啊，飛揚，飛揚，
飛揚，飛揚……
哦，我生翅的心靈，
棲於故鄉六月的肩膀。
那蟬鳴綠叢，
像是樹兒穿著喧嘩的衣裳，
那隱鳥鳴著，
使人懷疑綠葉在吱喳歌唱。
六月的櫻唇
把大太陽吻得更熱更紅更發亮，
六月的手臂
總是緊緊地拉住親愛的陽光。

夏天的故鄉
像一隻火焰色的缸，
游著少女的金魚，
游著少男的鰻……

大蒲扇像闊翼的金鳥，
日夜在萬人的手上飛翔，
晶瑩的汗粒有如斷線的明珠
滑落在大地的巨盤上時，
人們彷彿能聽到清脆的音響……
故鄉有遼闊的大江，
涼波翩翩，
淘盡了那
太陽塗在行人身上的火焰，
故鄉有高大的林蔭，
縱橫的柯葉
把天空染綠，
清風把行人

拉到綠蔭深處去乘涼。
紅肚西瓜
從地層下冒出頭來
向人們展覽；
甘蔗在田野裡
招引著風袖，
向人們歡唱；
白天，千萬的牽牛花
鼓著紫冰的腮，張口向天空，
像要把烈日吹涼，
夜裡，田蛙的緊鼓聲中
裸體的涼風，盡情地
向暑熱的人面，飛吻湯湯……

啊，故鄉的六月，
曾帶給我難忘的歡暢，
那十里林野，
是我奔呼嬉逐的聖地，

那悠悠綠河，
是我生擒魚龍的走廊，
那金籬的果園，
是我們活躍撒野的俱樂部，
那星空下的糧場，
是我們裸體納涼的地方；
啊，我有過阮咸的
缸做酒杯邀豬飲的豪放，
我有過像劉伶的
天地爲宅屋做褲的疏狂。
六月的老樹，
是我千丈的衣架，
六月的江河，
是我萬里的浴缸，
六月的山峰，
是我閒坐的綠凳，
六月的原野，
是我舒憩的大床；

故鄉啊故鄉，
我怎能忘記你的六月，
六月啊六月，
我們曾經共舞在鄉邦……

啊，飛揚，飛揚，
飛揚，飛揚，
我生翅的心靈
停在鄉土高聳的秋山；
看啊，風流的草木
盡想做新娘，
尤其是楓樹，
在悄無人處，換上了
那襲胭脂紅的新裳，
預備嫁給瀟灑的秋光；
楓林兀坐在山峰的綠轎上，
迎風輕唱……
那烏桕樹喝過了幾杯金風，

醉倒在夕陽的懷裡，
如癡如狂。

秋，用透明精緻的風絲，
串起一朵朵雁鳥
送給長空做項鍊，
朝陽把雲疋剪下來
鑲上金邊，
交給山岫做圍巾。

哦，那朝陽在橙園裡偷飲著霧，
那紅葉在蛛網上打鞦韆，
那朱紅的果實們，
從夏天的背上爬過來
躲到綠葉的翠帳裡去酣眠，
它們像是
夏天的夕陽在樹林裡生下的紅蛋，
它們像是

大自然點亮了的
照暖十里園圃的金燈萬盞。

哦，秋光如海，
金風在海中澎湃，
那盤旋又盤旋的紅葉呀，
是凌波起舞的小天才。

藍色的蟲聲，一朵朵，
繡在淡黃草原的裙上，
那天宇俯吻著大地，
大地仰抱著天宇，
那草織入了雲，
那雲繡滿了天，
一派的遼闊，晶朗，空靈……

哦，紅霞在天邊駘蕩，
長笛伴蘆荻歌唱，

山野裡，溪岸上，
雖慢慢減少了葱翠的綠意，
卻也漸漸地
增添了聖藍的天光。
那凝煙的碧水，
那朱碧的雕欄，
平分了秋的音色。
那沙汀上的蘆荻，
那落暉中的長笛，
共奏起秋的樂章。
那江頭的砧音，
那古渡的浪響，
交織著秋的節奏。
那天風浩蕩，
那江水湯湯，
擴大了秋的音量……
璀燦清媚的秋天
嫁給我的故鄉以後，

便親切地引著我們
去進行幸福的農忙。
餐飲金風的稻穗精滿，
穀子粒粒吐金光；
銀牙的瘦鐮，
一早拉著農夫的手，
走向那阡陌的黃毛茸茸的胸脯，
去啃嚼稻梗，
去痛飲陽光……
摜桶每天都趕到田間去，
鯨吞金潮的稻穗，
夕陽西下時，
它被招了回來，
總是腸肥腦滿。

秋天啊，
黃的橙，綠的柚，
金的柑，朱的橘，

滾滾地爆滿了故鄉，
一切在懷孕，
一切在成熟，
一切在收穫，
發育期的大豐年，
展開長長的劍翅
漫天漫地的慷慨翱翔。
「秋侵人影瘦，
霜染菊花肥」，
只苦了籬下的詩人，蒼茫披髮
在詩興裡，悠然對南山。
…………
啊，飛揚，飛揚，
飛揚，飛揚，
我的心靈，
已坐在故鄉雪花的背上……

哦，這是月裡的廣寒宮，
抑是詩中的沉香閣？
這是銀雲間的嶄新天堂，
還是我冬天的甜冷故鄉？
整塊乾淨土，
穿上冰凍的銀甲，
披著仙鶴的羽裳，
像水晶的纓絡，
像白壁般皎燦。

小鳥摺起了他的羽扇，
不必辛苦地爲天空搧涼；
泉流藏起了他的旋律，
不必在幽石間飄流碰撞。
那喝醉了霜風的紅葉，
歡天喜地的從枝頭跳下，
潛到深深的雪毯裡去酣眠，
更有的

是興奮地飛入天心，
它們邀舞大風，鳥瞰大地，
得意地漫天漫地的鼓掌……

在青翠的紗窗下，
可以看到臘梅
紅噴噴的面孔，
它們沐在風雪裡，悄悄地，
嗅著自己身上的幽香。
聽紗窗裡的琴挑，
看紅牆上的雪影，
更欣賞那大竹叢
穿著孔雀般的百褶裙
在風前凌邁，
做英雄式的披髮高唱……

我更難忘
那紅火爐和銀色的大雪人，

難忘

那雪地裡的跳躍與歌唱。
那山，那河，
披著白色的斗篷，
那屋頂、門庭，
塗著冬神的銀粉，
那幽徑、古道、原野，
都蓋著白雪的絨被，
一齊休假冬眠，
那村橋、凍水、和茅屋的夢境，
都靜悄悄地
來到祖父的詩句上。

爐火伸出舌頭來，
把寒氣舐光，
瓶梅在案頭向琴聲伸出美麗的臂膀，
未曾見面的王昭君
在弦索上婉語；

畫軸握著一手不老的春山，
　高高地站在壁上。
　父親的短髭上，
總是堂堂地掛滿了三國志的兵馬，
母親嘴裡不時跳出安徒生童話裡的
那位賣火柴的姑娘。
當窗玻璃上描著冬神的雪景，
我們便笑對畫軸中的大春山
激起闔家的歡唱。

我們最愛冬天的大藝術，
那便是堆雪獅，造雪人，
或是拚命打雪仗，
吶喊，歌唱，激躍，長嘯，
忘了凍紅的小手
像一隻熟透的蘋果，
忘了火爐，故事，貓和酒，

忘了爐裡將煨焦的紅薯，
和案頭正盛的梅香。

或是到梅林裡去，
犇飛角逐；
或是騎驢過小橋，
鈴兒響叮噹；
或是疊羅漢，
或是打地螺……
啊啊，故鄉的冬天的大回憶，
像一座錦繡梅林的大畫展，
多美麗啊，
開幕在我的心上……

啊，故鄉，
我生命的樂土；
啊，故鄉，
我童心的天堂；

啊，故鄉，
你孕育我美麗的年華，
也孕育過我璀燦的希望，
啊，故鄉，
你賜給我無限的恩惠，
也帶給我自由和歡唱。

那紫微的祥光，
長照天官的賜福，
那青春的淑氣，
滿溢於溫暖的圍牆。
那夕陽像髮帶，
長繞著優美的山莊；
那晨曦如妝鏡，
照映在牧女的臉上。
小橋、流水、人家，
古樹、昏鴉、斜陽，
那一樣不是來自黃金國！

那一樣不像是在烏托邦！
啊啊，故鄉，故鄉，
我懷念你，
在夢魂中，
在心坎上……

（本章「引詩」四百行。下續五千四百餘行，不錄）

卷七

涵碧樓聞鶯

三十歲作品
節錄・全詩刪除三章二〇六行

是時候了

三十一歲作品
全國徵詩比賽第一名作品
總統蔣中正先生頒獎

1 涵碧樓聞鶯

黎明的白劍，擊落
垂掛在日月潭裙邊的黑夜，
一個金色的笑渦，
又回到初醒的太陽的頰上。

國貨，品質優良的風光，陳列在
清晨的玻璃櫃裏，
一個嬌嗓在叫賣著，
一隻生翅的小女店員——
晨鶯。

那聲音，一顆顆的明珠，
擲落在我張開的耳盤裏，
敲醒了心底的
小銀魚般閃爍的靈感，游出

小小清翠的靜脈管……

哦，那鶯聲，一隻美麗的手，
伸進我的心囊
挖走了詩句，
使我的筆，也震顫起珠喉，
我的紙，做一個初戀女的腮，
佩掛著文字的唇印……

涵碧樓，泛在
風光的翠濤上，像畫舫。
我仰飲一曲笙歌，一抹粉黛，
俯啜萬頃的綠，芳醇的，
直綠入心的深處，
而有如當年，
置身秦淮河畔。

哦，秦淮河畔，

王禄松

泠然

泠然忽動餐霞思
擬陟丹梯一振衣

明・包節句寫意

當年，也是這樣一個
被露水連夜加班洗淨了的晨，
也是這樣一個
用鶯聲裝潢、用流霞打扮的晨。
東方的山峰又發明出一個朝陽
的晨。
多耳朵的樹，曾聽我
少年的歌振翅飛入原野。
笑聲，是一種金屬品，
鏘然敲碎了憂鬱。
而今，涵碧樓頭，
花朵的笑容裏，包裹著
我飄泊的深愁。
涵碧樓頭，
邀鶯言愁，呼花語恨。
我想秦淮，

秦淮，南京的衣帶，
帶一個回憶，向我飄來。

2 辭京的回憶

那時，
感傷的殘月，皺著一隻眉，
在天上牧著不眠的白羊。
憂國的垂楊，用清風
梳著稀疏的白髮。
慘澹的面紗，罩在
臨別南京前夕的臉上。
而萬里江山，哭暈在
鴟鴞陰笑的夜裏。

離亂。快樂是一種
違禁品。而淚暢銷。
混在錢塘潮一般洶湧的

避難人群中，我像一種萍草，
倉皇地流著。過鼓樓，
出挹江門，在下關擠上火車，走，
擠上一個離亂的時代，走，
俯仰在上帝的指縫裏，
聽砲聲炸碎笑聲，
像閃電焚燬明月。

腥風掠過低壓的帽簷，
唱陽關三疊曲。哭啞了的
景陽鐘，沉睡了吧？午夜，
船，握別了碼頭。
一聲汽笛，青史的歎息啊。

啊，虎踞，龍蟠，再見！
黃鶯的珠喉，春山的倩影，
再見。芳洲的柔懷，雲彩的綺羅，
家的臂彎；落花殘棋的香吻，

再見。異國的太陽所干涉的
土地，以及眼角有歲月的漁夫在撒網的
慈祥的親娘。以及天下第一位大畫家——
飾淚的愛人的眼睛，
再見。只帶一行囊的清風，
只提攜著一腔的
悲痛、沉重，單身匹馬
走天涯。張開烽火的翅膀——
飛！從歷史離亂季的
猛烈的淪沉。

3 玄武湖旁，雞鳴寺裡

是的，玄武湖，有
古典的陽光。玄武湖的
春，被大地黏住。
陽光的美辯飄落在身上，如貓的
溫柔與嫵媚。

遊人，像悠閒五月的
落花。岸旁，看魚，做釣絲的玩伴，
看垂柳像披髮畫家，坐在
岸旁，信手在水中
描繪著漣漪。
看透明泥土上的
船的仰泳的姿……

春色，豐美的春色，
長春藤樣的春色，搭掛在
感情的棚架，也綠在
感情的棚架。
那樹梢，染一聲
金屬的啼鳴，樹
便開始佩掛上少女的唇瓣了。
而風從天上滑下來，
好甜。用嘴唇夾住，舌頭嚐一嚐，

連同江南的「美」嚥下去，
直到心底，好甜。

集合起來，在玄武湖，
天下的黃鶯們，音樂的草蟲們，
空靈的詩句們，以及振華翅的
青春的夢們。集合起來，
會師在玄武湖，
教詩人一飲而醉——
飲一杯江山的美而醉。

而雞鳴古寺，煙雨樓臺，
永生的鐘聲啊，敲入
靈魂的深處。使
善男信女，聲聲顯出超脫，
句句開放蓮花，在禱詞，
字字湧現祥雲，在禱詞。
信仰的盛夏，

膜拜的赤道，
木魚吶喊，當香燭的櫻唇
在冒煙。棉墊上，跌落了
許多膜拜……
而情侶們的盟誓，
被掛在柳梢頭，當明月
被廟頂的一條蒼龍吐出。當江山
靜得像在作祈禱的
一雙傾國的素手。

4 清涼山上，掃葉樓頭

是的，在清涼山，
金風的號角裏，一夜間，
萬山的秋色歸來。詩人，
是特別惜紅愛綠，而
秋更懂得。

掃葉樓頭，和朱紅的欄杆
握手相歡。飛吻那
牛首煙巒。
一聲長嘯，通知
莫愁湖的荷香，以及
紫金山斷霞的橫影，以及
明孝陵氤氳的煙樹，以及
秦淮歌畔飄詠的笙歌，
一齊應遊人的盛宴，來到
掃葉樓頭，同飲一杯金風的醇酒。

清涼山，山風如水，
東流著。而遊人游著，是
上帝的尋歡的魚。
看，艷如窗前搖燭
濃妝的紅葉。看
嬌如月下吹笙
滿肚子音符的林鳥。看

六朝金粉，在秋天的
淡掃修蛾的夢，看
秋光，如酒，
江山在喝，而
隨紅葉以酡顏。

疏林，摟住斜暉，
晚霞和醉了的楓，平分了
秋的胭脂。
夕照的眷顧下，白髮蕭蕭的
蘆葦，也妝扮了紅顏。
而「飛翔」在雁的翅膀裏叫喊，
而雁，溫暖於
荻叢的家。創作著秋之夢。

清麗的，江南的倩影，掛在
掃葉樓頭。看靈星的火，是
第一顆鑽石，嵌入江南的

天空。繼而有
月的冰牛奶，斟在
江南的凍葉上，而化爲
詩神的晚餐。

啊，清涼山的果，
膨脹著它的乳，聖潔的汁
哺乳了飛鳥。

啊，掃葉樓，秋用紅墨水在落葉上
題詩。是紛紛的明信片，
告訴人們以
涼風天末之思，而在
煮酒談詩時，便
想起山川人物之盛……

5 采蘋橋邊，延青閣上

而在采蘋橋，聽

流水的聖足，構成一條
飛翔的光明的路徑，那是
白雲會唱民歌的喜淚，
貫穿芳草以遠去。
而在采蘋橋，看
參天的古木，敞著鬱綠的
羽翅，似欲乘風歸去。
那白鷺，江山間會飛的銀，
在夜，回到古木林的囊中。

朝朝，有花瓣中的囚人——
那芬芳，逸出。
而在鳥喉，漏落下如鈴的
音符的明珠。教使
大地甜味的詩意醒來，
在采蘋橋邊。

而在夏，在延青閣，

有蟬鳴像一條閃爍的小溪，震顫在
一條風的背脊上。震顫在
藍天的海碗下，
震顫著夏的芳香。
白日，日色的玫瑰紅，煮著
晝寢的慵悃。陽光一瓣，是
江南的櫻唇，吻在行人的
心上。大地，嚮往著
一隻水晶的夢，沁涼的
像冰山的眼睛。
而夜，被草蟲的儀隊
送贈給大地時，
延青閣簷角的龍，會
吐一種鑽石，那星斗，
是晚空閃爍的居民，是
一種美眸漏下詩的光痕，
在延青閣上。

或，團聚的詩人，在金陵的
胡園。帷天席地，友月交風，
共看是誰把當頭的明月
捏成銀鉤。而
上帝寶座上的絨氈——
青草地，坐著時，
眞是太寫意了。
而擊缽花間，狂吟著，
管教綺麗的情緒，藉文字
在無邊月色中，
化爲蝴蝶。

6 莫愁湖中，燕子磯上

愁，全不在眉端心上，
且聽那
鳥，拾得遊人的遺笑，
編出玲瓏小調。

且看那
樹，將花朵
掛滿了腮。芬芳，燃燒在
花心。許多
踏著少女臉上的微笑，是
人間的名產。而且
是莫愁湖的暢銷品。
哦，多少的人
臉上的高興，是從聖誕老人嘴上
搬運來的。

莫愁湖，粼粼的水，
盪漾著古人詩句的
韻腳。清風，飄著一種低吟。
一聲舊識的蟲鳴，敲響了
詩句的門扉，在心靈。

莫愁湖的水，粼粼，是

遊艇的腳印，抑是
橹和長篙的足痕？
抑是被笑聲所擊碎的
水波的微笑。
湖畔，那些石，
已被夜間的月光所
漂白，而石上，仍留著
夜間情侶的甜語
如酒。

而在燕子磯上，下瞰五千年的
老長江，借大風的
手，從波濤的皺紋裏，擠出
如蜜的微哂。
哦，我願是
一隻船，年年翻開江濤的下顎，
去找蛟龍之歌。

在燕子磯，
拉著花草的裙兒同舞，
在燕子磯，
敲著頑石的顴骨高唱，
在燕子磯，欣賞
情侶。那些男子，如蜂，在
那些如花少女心靈上採
蜜。竊聽他們用話，編織著情，就像
湘女的刺繡。
而置身於美境，
像練算術似的，我，
將宇宙除去江水，其差數
是：一片天。

7　明孝高塚，中山偉陵

在明孝陵，夕陽用晚霞餵飽了
一些石獅子。五丈高的翁仲的

臉上，凝聚著落日餘暉，
而古老的陵寢，仍穿著
夕陽用光線紡製的
金絲袍，矗立在
不朽的天幕下。

那青苔——雨的綠色小詩，
題寫在磐石的
膝蓋。紡織娘，幽洞裏的
袖珍宮女，刺繡著些
小曲，於千古不動的
老石像的腳跟。

「待與秋風戰一場，
渾身披就黃金甲」
的菊。和
「一花天下春，
萬里江山雪」

的梅，該也
猛氣隨霸業全消了吧。還剩
萬里江聲，在眼前流響。還剩
陵前的風雨，笑詩雄。

登陵眺望，歎絕
虎踞龍蟠。啊，山窩如盃，盛一盃
廿世紀耀眼的大繁華。盛一盃，
六朝金紛的餘燼。
盛一盃
龍的魄力，虎的精神。

在紫金山，巍巍的
中山陵。且於最高的
白石圓門前，遊目馳騁，望
雲裏雙鳳闕，和
雨中萬人家。望燕子們——
長空中的五言絕句。望

偃臥的無數青山，
枕著僵冷的地層幽夢。

而當春天吻著南京城。許多花開在
山崗的胸脯上。大地，是
「繁華」的家。許多
燦爛的希望，是一種花朵，盛開在
民族靈魂的枝頭。

夜裏，且看
中山陵的肩
負著熾亮的星群。而江北的
山影，起伏著像
一列沉雷。那銀河的鑽帶，橫在
長空的腰。啊，長空，是
日月星辰的床。雲的
游泳池。也是
紫金山的朋友。在夜裏，打著

星斗的訊號燈。相互的
隔著宇宙，做
菜根譚。

（本詩下續三章共計二〇六行・不錄）

是時候了（朗誦詩）

是時候了
撕破心底的迷夢
抹去臉上的惺忪
喚回斑爛的熱血
激盪著鏗鏘的心胸
是時候了 朋友們 起來
這是血濃於水鐵硬於骨拳高於人的時代
讓我們比肩接踵
向光輝的行列跟踪
看我們集合成隊伍的合訂本
硬起頭顱 撞響生命的洪鐘
我們要在烈火裡煉出火般鮮明的硬漢
我們要在刀山上選出刀樣鋒銳的英雄
壯志長嘯在心底

歌聲蹦跳出喉嚨
誰甘心委命運於游離的飛絮
誰願意寄人生於無主的飄蓬
我們有滿腔的豪情
透明的歌聲激昂　斑爛的熱血翻湧
恨不得一口喝乾了長鯨縱橫的大海
生呑了十萬帶礪的山峰

在這時代的黑夜
在這世紀的黃昏
面對滔天妖氛
我們每根血絲注滿了狂怒
面對遍地災難
征服災難　我們的決心共同
這一代青年
該是青史鐵鑄的堡壘
這一代青年
該是國族不倒的雄峰

丹心煉成鐵　皮肉鍛成銅
拳打頑石　要頑石交出星火
揪住怒海　要怒海交出蛟龍
壯心在絕境中揮發鬥志
熱血在風雨中幻出長虹
是種籽　是種籽不怕他泥土硬
是烈火　是烈火不在乎紙窩封
挺身為泱泱邦國的樑棟
昂首為赳赳壯士的先鋒
把忠勇的眞苗
向青史的心田栽種
將芬芳的人性
向萬萬人的心臆交融
投身於時代洪爐
冶鍛浩然的方寸
搖起青春的鐵腕
擂動仇敵的喪鐘
一點詩魂　雄表五千年的國格

三寸羊毫　深藏十億人的心胸
赤膽一粒　盡壓了百代豪傑
青霜三尺　要使萬里九州同
不怕那滔天風雨
心頭有旭日通紅
不怕那連年苦難
挺身與運命交鋒
是時候了
看我們　大智　大仁　大勇
是時候了
看我們　立德　立言　立功

陶泥被火燒成器
竹簫被刀刻出聲
虹彩是天空的淚雨編織
晚霞是夕陽的燄火烤紅
不畏奇寒的龍膽草
在冰峰萌動最美的枝葉

不懼烽燹的火場花
在焦土間萌爆最壯麗的靈魂

磁器上的畫
必經火燒才能留存永遠
高山的香柏木
必須經過大風的搖盪才會植根更深
「甘旨　不是英雄的糧食
他以悲哀來充填心胸」
眼淚　是構成虹彩的材料
十字架上有偉大的聖容
「患難是通往勝利的捷徑」
頂帆最宜於抵擋逆風
一切偉業都嵌印有患難的烙印
一切聖哲都佩掛著苦痛的傷痕
火把搖動的時候　光燄最烈
檀木投入烈火時　香味最濃
最莊嚴的詩篇得自靈魂最深的苦痛

我們這一代的輝煌大業
應是血淚鑄成
血淚鑄成

看今天　我們巍然的邦國
矗立在狂風暴雨強音交響之中
大時代的舵柄　是由我們操縱
熱血青年　該知道何去何從
我們報國的心意
該像那璀燦的牛斗　梗天的長虹
磨礪肝膽　培養浩氣
該像狂風疾掃中的磐石與蒼松
去戰鬥　交鋒
戰鬥　交鋒
在銀河裡洗劍
在月鉤上掛弓
長箭　長箭射霹靂
快劍　快劍斬雄風

陶鎔天地　揮灑風雨
要使大好河山長錦繡
豈可讓光輝日月久蒙塵
斬妖魔於天隅
喚旭日上晴空
啊　我們的熱血無一點不紅
我們的熱淚無一滴不濃

回顧歷史
上代有石破天驚的偉業
是先烈　敲響了民族復興的詩鐘
對邦國的貢獻
昭象著不朽的光榮
黃花岡七十二義烈
以血手　搖醒打鼾的國魂
北伐　統一　與八年聖戰
青年們　是一次又一次的大團結
一次又一次的大動員

從十萬青年十萬軍
到中興復國的行動
從三二九的光輝典型
到一江山的氣貫長虹
前仆後繼　陷陣衝鋒
光耀的史蹟啊
一脈相承

如今
杜鵑啼血　黃鶯揮淚　大地哀鴻
無數青年陷溺災劫的深淵
無數青年懷抱無告的苦痛
他們的鮮血熱淚在心頭匯合
國仇與家恨在心底交攻
是時候了　我們
該共同的　聯袂將乾坤扭轉
把河山安排重整
是時候了　讓我們

搖木鐸 振黃鐘
馳天馬 矯神龍
英挺的 接受時代的考驗
豪放的 與空前的苦難拍手笑相逢
將風雲套上韁繩當戰馬
揮舞歲月 高歌慷慨激雄風
期許著
百年肉身變銅像
一寸丹心化彩虹
是時候了
看我們勵鋒鋩 展抱負
做勁草 迎向疾風
做砥柱 迎向江洪
向天霜 做菊叢
向風雪 做梅魂
向最烈的火最重的錘最冷的水 做民族的鋼鐵
向最長的夜最黑的史頁最苦的人心 做報曉的晨鐘
繼承先烈的殊勳 並肩攜手

踩著歷史的軌跡　竭智盡忠
用高歌顯現血性的英勇
用怒吼壯大信仰的忠貞
用熱血洗淨千年的仇恨
用詩魂點起燃燒的憤怒
今天　讓我們乾一杯聲浪滔滔的朗誦詩
潤一潤烈火的喉嚨
然後　出發　前進
放風雷出袖口　吐歌聲亙長虹
看巍巍的天山低頭　湯湯的黃河讓路
我們共扛一片春風旭日回去
先穿過世紀的凱門
再登上歲月的奇峰
在奇峰上　展現我們不朽的抱負
不朽的抱負
力爭上游天岸馬
廣慈博愛人中龍

卷八　彈丸詩抄（詩集）

三十三歲作品

全集一〇八首詩，選錄十六首

水亭

光風已轉瀛洲草
細雨微添太液波

元・李材句寫意

序

大塊鑄人，縮七尺精神於寸眸之內，嗚呼盡之矣，（註一）。古人云，盆池拳石間，便居然萬里山川之勢；片言隻語內，便宛然千古聖賢之心。西人云，一沙以觀世界，一花以覘天國，隻掌以控天地，剎那以徵永恆，（註二）言焉信哉！

詩也歌也，雖非以小爲尙，以短爲貴，然則，小者爲大之樞，短者爲長之縮，即陸機所云，「籠天地於形內，挫萬物於筆端」，「觀古今於須臾，撫四海於一瞬」是也。怒虎雖烈，人以一彈穿其胸，欲之歸。蟒蛇盈丈，非洲蜘蛛一螫入其腦，斃而食。我欲效廖燕之語：照乘粒珠耳，而燭物更遠，予取其遠而已。匕首寸鐵耳，而刺人尤透，予取其透而已。

乾隆四萬首，未名於世，奥人詠酒詩，取湮當代，然則高克多之「貝殼」，狄根生之「草原」，蕭拉克之「酒」，岩佐東一郎之「釣」，皆以少勝，人多諳之。高祖之「大風歌」，三句耳，荆卿之「易水歌」，二句耳，馮驩之「彈鋏歌」，一句耳，而慷慨、含悲、飲恨之情，流露無遺，焜於史乘，燭照千古。畫者「以少許勝多許」，求「意到而筆不到」。歌人「曲終人不見，江上數峰青」，允爲技之上乘。兵家云「在精而不在多」，求其「攻心爲上」，所謂「不怒而威，不戰而屈人之兵」。故我以爲詩之精小乃詩藝中之髓也。不以小而可忽也，不以短而可輕也。

海涵山負，隱天蔽日之長篇巨著，運筆固苦，然則千錘百鍊，言簡意賅之短章，操觚亦難也。我作短詩，如雞孵蛋焉，如爐煉丹焉，恨鐵不成鋼，選出鉛中之銀焉。下一字，如下一棋子焉，定一字，如釘一鋼釘焉。擬用一字，則如歌者調弦以定其音，如畫家配彩以定其色，如判官審詞以核其義，如主將遣才以正其位。用穩一字，如做「人事查核」也，莫敎其不稱職，莫敎其處虛位，落空檔，枉才情也。一節小詩即爲一班伍也，機槍手、彈藥手、伍長、列兵、停妥之不使易位亂職也。想一字或費腦血一滴也，寫一字如釘一釘，要使觀者歎讚其牢固，堅不可拔，妥無可換也。

戎馬倥傯，軍書旁午，我袍澤至忙，但忙中，如得半分鐘之暇隙，瞟上一眼，已讀得我詩一首矣。而其精神作用，當不肯以半分鐘計之。

嗚呼，漫漫長夜，雞以一聲破之，浩浩大江，仙以一葦渡之。熒熒星火，足燎千里之原，纖纖羊毫，能制百萬之師。我詩如火箭上之螺絲釘，其與大廈之樑棟等價乎，我詩若爲斃其主將之一彈丸，當與潰其防線之排砲同功也。是爲序。

燭

清白的身子
燃燒的心
夜夜，含著熱淚
領宇宙走向黎明

破鏡

一片冰心
不沾利慾之塵
頭斷，骨碎
不變其批評

玫瑰

紅面龐
綠戎裝
握緊刺刀
保衛著生長的地方

粉筆

一位白袍聖徒
獨自穿過一片夜的大荒原
影子慢慢消失了
只留下白色的腳印供人傳誦

黑板

摘完了星的夜空
黑而美
喚白龍耕墾煙雲
種文字的瑤草吧

蜂

以透明的槳
划一隻紋身的小船
到花海去
載滿香吻而歸

大鋼釘

最熱的火
最重的錘
最冷的水
使你剛健如許

棋中卒

他越過河去
怒吼在原野上
搏鬥著
頭也不回

枝

怕什麼天寒、霜緊
怕什麼日烈、風狂
只要這條心不死
生機永遠握在我的手上

葉

花啊，我爲你擋暴雨
果啊，我爲你遮烈陽
我要克盡本職
從青翠到枯黃

花

我生時絢麗如錦
死後飄散又何妨
果實啊，我的孩子
你要長得勃壯又輝煌

果

懷著苦澀的童年
懷著成熟的希望
看花朵母親死了
我獨自在風雨中奮鬥成長

筆

破千城
而無聲
滅萬軍
而無血
以我爲能

硯

筆下
天文驚飛
紙上
地理狂搖
只緣此
一方小小池沼

墨

一滴
可淹千秋
一滴
能溉自由
即此一滴
便成不朽

紙

掌中有
河山大地
胸中藏
日月星辰
薄又何妨

註一　句見廖柴舟「選古文小品」序。
註二　西人云之四語，爲英詩譯句之重行組合。

卷九　狂飆的年代（詩集）

四十歲至四十二歲作品

民國六十四年獲中山學術文化基金會新詩獎
王雲五先生頒獎
六十四年，水芙蓉出版社印行

代序

——節錄評介文字一束——
（以時間先後爲序）

回

從許多佳句中看出作者不凡的才氣，如：「塗一臉火燄的朝陽，嘩笑著游上來，抬起了萬人的頭！」「鵬鳥揮著大羽扇躍入天心，雄獅舞動健爪抓緊地殼，」「萋萋的荒塚，僵冷的殘碣，也都穿起了陽光的金絲衣，」「江水揚著藍閃閃的鱗甲，雄壯地騰動了起來！」這些詩句一再表現了作者的獨創力。其意象之鮮活，給讀者印象至深。

——詩人覃子豪先生「評介新詩得獎佳作六篇」之一的「晨光」。四十六年七月一日版「今日新詩」。

回

他的詩，給人以清新和鮮活之感，如大江上的流水，給人心靈以充實和激動的情緒！爲戰鬥詩創下優良的風格。特別值得一提的是，作者在每一篇詩裡，都有豐富的想像力，在作者的筆下，對一切沒有生命的賦予生命，對一切空虛和概念的，都賦予形象。沒有天才，是創作不出這樣好的詩篇來的。

——詩人張自英先生評介榮獲軍中文化獎金的「鐵血詩抄」。四十七年八月一日「筆匯」報。

□

王祿松的詩，極具挺拔雄健的風格。將生命與現實生活融鑄，寫作的題材與範疇，在他多采多姿的藍天下、大地上，俯拾即成意象奇突、叱咤風雲的佳作。詩的語言、在詩的創作中的獨創性，是諸種藝術中最重要的；祿松兄對於創造語言和駕馭語言的功夫，去除今日詩人們大多偏向歐化而顯得詰屈的弊病，成為活潑生動；正是鐵板銅琶，急彈大江東去，最當人意！尤覺珍貴者，就是他把生活的彩緞用為經緯，織入詩篇，而能傳神悅意，這是一般詩人們所辦不到的。不是渺小的個人夢幻的盲目追求，而是對於祖國無邊無盡的愛，盡情盡意的把生命燃燒：生命是詩，詩即生命，捨此無他。讀他摘自萬言詩中一章「懷鄉」，其綿邈壯闊的氣勢，如「黃河之水天上來」，不是「曉風殘月」、只有脂粉味而無男子氣、只會坐井觀天而無鵬飛鯤遊的胸襟骨格之輩，所能想像與了解於萬一的。

——詩人、劇作家上官予先生評介文字。五十年十二月「文藝生活」第五期。

□

王祿松先生的詩，很少受到西洋詩的影響，其成功的作品，完全得力於中國舊詩詞。可喜的是，他的詩雖然脫胎於中國的古詩，然而，在用字、造句方面，毫無陳腔濫調的弊端。且能給讀者一種雄渾、莊嚴的感覺。

在目前的中國詩壇像這樣的作品，實不多見，王祿松先生實在是一位完全具有中國詩風的愛國詩人。

——詩人覃子豪先生序「歸意集」。五十一年三月。

回

他寫敍事的長詩，也寫抒情描景的短章，前者是大氣磅礴，地負海涵，後者則是清新柔曼，深邃美妙。

也許，寫詩並不算太艱巨的工作，難在寫出能稱爲「自己的」詩，祿松先生不但寫出了優美的詩，且已寫出了他自己的詩，這是使人佩服的地方。

——散文家、小說家、詩人張秀亞女士寫「歸意集」跋。五十一年三月。

回

他從玉山高聳屏東溟，寫到蒼莽天山飛牧馬，從南沙群島的南疆礁嶼，寫到遠眺蒙古的草天相接，從白山與黑水併驕，寫到雲嶺共瀾滄一色……整幅祖國河山的影子，均在他的筆尖下放映了出來，使人讀之，不但大興「歸去來兮！田園將蕪，胡不歸？」的彭澤感覺，而且豪氣凌雲，寧願受强盜的刺刀由胸前刺入，也都得握緊著槍衝回去！

——評論家廖和先生評介「萬言詩」。五十一年九月「新文藝」月刊。

㊂

王祿松的作品，大抵以氣魄見稱，字裡行間，蘊發著强烈的熱愛鄉邦國族的詩心與鬥志，而用字凝鍊，音韻鏗鏘，尤其使人爲之激起無比的感動與共鳴。浸淫過詩的人都知道，某種題材——特別是概念性的題材——不易表現，「隱」則主題無法凸現，「明」則流於觀念的敘說，這方面，王祿松自有其獨到之處。他之不逃避任何題材，他之迎向任何題材，他之征服任何題材，都使他成爲一個「勇者」，爲朋輩詩人所不及。

——詩人瘂弦先生寫「鐵血詩人王祿松」。五十三年六月號「新文藝」月刊。

㊃

現代詩人認爲詩是訴之於情緒的，和訴之於理性的，他們否定浪漫主義式的狂熱，摒棄激情的創作。他們主張現代詩是一種純粹的表現，是由自我意識的感性世界，它不求助於現實社會的表象，而發掘於現實的底裡，從自我的超越，到自我的提升，以至自我孤絕，這是現代詩人所恪守的創作信條。於是，現代詩也就愈來愈遠離群眾，愈來愈孤絕了。

詩人王祿松，是唯一不被孤絕所繫囿的現代詩人，他是現代詩人中的 Major Poet，而並不是 Pure Poet，他的充滿著熱血奔騰的情調，像一瀉千丈的瀑布，也像滔滔的江流。他的詩不是古典的，也非浪漫的，而是屬於這個苦難的時代的一種鐵和血的呼聲。他不被一個自我世界所圍困，他把自我投入在比自我更爲重要的大我世界。他自現實的平面上窺視那遼闊的世界，自時代的尖端，透視人性的眞境。

——評論家、小說家、詩人周伯乃先生寫「新詩欣賞」專欄「王祿松的鐵血精神」。五十八年十二月號「自由青年」月刊。

四

我認爲能使我感到眞正佩服的詩，必須達到令我自覺永遠也攀登不上去的高度。如今，我發現了這樣的詩人，這就是「狂飆的年代」的作者，自由中國詩人王祿松先生。

「狂飆的年代」共有一百多首詩，我僅看到二十餘首，就已感到氣勢磅礴，才華逼人；慷慨激昂不亞於「大江東去」，悲憤壯烈不亞於「離騷」。……

……這樣的詩，豈是執牙板的妙齡女郎所能唱的？豈是凡夫俗子所能歌的？須請來百萬山東大漢，齊搥響震天的雷鼓爲詩人伴奏；須舉起千萬把寒光奪日的刀槍爲詩人作舞。

看到祿松先生的詩，我感到驚喜……驚喜中土已誕生了這樣傑出的詩人，與五四以來任何傑出的詩人如徐志摩、聞一多、艾青等比起來都毫無遜色的詩人。

——專欄作家、小說家、詩人寒山碧先生寫「推薦一位詩人」。載於香港「萬人雜誌」一四〇期專欄。

□

王祿松先生是中國詩壇的旗手，是天才洋溢的愛國詩人，其作品意境高遠，至純至眞，激情澎湃，淋漓奔放，譽為「當代李白」，受之無愧，且有過之而無不及。「河山春曉」「萬言詩」，泱泱鉅構，均為中國詩壇極重要的作品，而傑著「狂飆的年代」則已攀上藝術的頂峰。茲以嚴肅的態度，鄭重推介給千萬讀者。

——詩人藍海文先生轉載「狂飆的年代」於「金色年代」月刊所寫的推介文字。

□

文壇在港九復刊二十餘年……屹立在狂飆肆虐的六十七十年代。說到「狂飆的年代」，是自由中國名詩人王祿松先生的傑作，自去年六月在本刊連載以來，每期少則六七首，多則十餘章，都是可用銅琶鐵板高歌合唱的愛國詩章，亦可說是自有「文壇」以來詩篇中較有力量的巨構，本港及海外許多詩人看後，或讚或歎，或爲文介紹，或口頭上互相宣傳，表示了十二萬分的欽佩。

——香港「文壇」月刊社長兼主編盧森先生寫一三八期編後記文字。

第一首

摘下胸中的狂飆，投向荒渺的世紀，
摘下瀝血的心花，富麗蒼白的時代，
摘下激昂的意志，加冕憤怒的大地。

從死神的園圃，採擷永生的奇葩，
從戰爭的枝頭，採摘勝利的花果，
從暴風雨的手中，硬將旭日抱回來。

第二首

沒有不止的落雪，只有凍不壞的土地，
沒有永遠的風雨，只有不朽的太陽；
請蟲兒小睡，請草根等待，春天將再來。

沒有打不敗的強梁，只有推不倒的眞理，

任狐舞、狼嗥、梟笑……但正義的雄力不會長埋，
請同胞堅忍，請山河等待，我們就要回來！

第三首

砍盡所有的花木春天還是要來的，
殺盡天下的雄雞太陽仍是要出的，
祖國必仍站起來，自焦土、自廢墟、自血泊！

焦土上將有綠芽，廢墟上將有大繁華，
血泊中將有大復興……
黑夜哭泣出星淚的，必會虹笑在黎明。

第四首

水逝而河不乾，花落而春仍在，
莫為逝水悲源，莫為落花傷春，
片刻彤雲，終掩不住生命皎皎的麗日。

流星的墮落，原不等於天體的頹廢，
一脈的濁流，豈礙得住大海的澄深。
來吧，你烏雲你暴雨你轟雷——
　你們是長空一碧日月光華的前奏。

第五首

在邊野的馬革，在易水的寒波，
在零丁洋裏、皇恐灘頭、北海冰櫱，
歷史之神啊，寫下永遠不朽的故事。
在西域絕塞的虎穴，在睢陽城堞的落日，
在崖山下的潮汐、鄱陽湖的樓船、和百越邊陲的狂飆。
歷史之神啊，繪製了永不褪色的圖畫。

第六首

豫讓的炭、荊軻的匕、

馬援的革、祖逖的楫、和張巡咬落的牙，
長向史頁的心頭，堆起千古不平的壘塊。

蘇武的旄、勾踐的膽、
申包胥倚牆的淚、聶政的劍、和滄海的鐵椎呀，
永匯成青史的血潮，掀動起千古不歇的海嘯！

第七首

釣魚的、射虎的、屠狗的，壯士何處？
祖國啊，要使龍蛇鼓舞於大澤，莫敎志士飲泣在新亭；
給他一顆星吧，那夜行者。給他們翅膀吧，那些想飛的心。

給他們以擊楫的江流，給他們以破釜沉舟的絕岸，
或給他馬革，供他裹尸；或給他薪膽，使他奮發。
讓他的英名綻放爲您的不凋花，給他們凌煙閣讓他永生。

第八首

向棕櫚要勝利，向橄欖要和平，向金字塔要古代，
但鴿烹了，星隕了，蝙蝠死了，
梟鳥慘笑在星月哭暈的夜裏。

於是，農夫們用軍斧與炮彈耕耘那荒蕪了自由的土地，(註)
漁者漁於火海，獵者獵於刀山，樵者樵於槍林……
他們，以死換生存，以淚煉笑渦，用創口唱進軍曲！

註：引用句。

第九首

做一粒螢火也好，在黑暗無邊的時候，
做一支綠芽也好，在梧桐落葉的時候，
做一團炭火也好，在漫原冰雪的時候。

黑暗中的螢火是黃金呀，凋零季的綠芽是生機呀，
寒冷裏的炭火是人性的燈呀，
於是，苦難中有了士卒，戰鬥中有了刀彈！

晚晴

天意憐幽草
人間愛晚晴

唐・李商隱句寫意

第十首

屈平用不著懷沙，韓非用不著仰藥，
莊周用不著濮上竿綸，介之推用不著綿山歸隱；
今天，志士鷹揚，雄夫振臂，
孤軍一旅，少康修戈矛於同仇，
下筆千言，孔子傳大道在人間。

王粲用不著登樓，寶玉用不著興悲，
謝靈運用不著詠歎，庾子山用不著賦哀；
今天，大刀淬亮，快馬縱橫，
英豪的聲譽聞於無窮，巋然銅像！
志士揚天聲於塵海，浩然大風！

第十一首

以朗響的馬蹄點數萬國，踩碎異族，
成吉斯汗的長鞭與大旗啊，

曾使伏爾加河水顫抖，高加索山峰屈膝！（註）

以天山的手勢撥開風雨，托穩日月星辰，
我們壯麗的旗章呀，背負著長空一碧，
要使人性的信鴿帶著善良、和平的眞心高飛！

註：「攻則必克，守則必固，戰則必勝！」（成吉斯汗）

第十一首

把欺侮、把污辱、把危害，還給敵人！
那原是敵人的給予，
我們已用淚滌洗過，將之回歸於原主。

把殘忍、把暴虐、把殺戮，還給敵人！
那原是敵人送上來的，
我們用鮮血澆灑過，以其道還治其身！

註：本詩係意表亞力山大大帝的一首小詩。

第十三首

血灑棘叢而萌動奇葩，
淚落荒泥而抽出新芽，
捐我生命的精英，爲國土的生機。

磨青春於鞍韉，碎幸福於馬蹄，
看血海波浪滌洗著生之日月，
獻我昂藏七尺，爲祖國的萬里程！

第十四首

蘸鮮血以寫詩，舉長槍以當筆，
千卷大地爲稿紙，煌煌日月爲標題，
如山忠骨，成江血雨，大塊文章！

要寫到天堂的鴿隻盡數地飛，
要寫到地獄的煉火恆久地熄，

要寫到人性的禿枝上有忠孝節義的花朵永遠地開！

第十五首

寶劍藏在韜裏最能保持犀利，可是，
祖國啊，今天我們躍動如出鞘的神器，
要去寫下「一劍霜寒十四州」的新頁。(註)
我們如出港的船，亮出征帆，
拓生命的衢路，逐運數的波瀾，
踏難關如棄屣，平大敵如草芥，
秉生命的江郎彩筆，致力於熱力光的永恆寫照！

註：詩僧貫休嘗以詩謁吳越王錢鏐云：「貴逼身來不自由，幾年辛苦踏山丘，滿堂花醉三千客，一劍霜寒十四州。萊子衣裳宮錦窄，謝公高詠綺羅羞，他年名上凌煙閣，豈羨當時萬戶侯。」錢鏐得詩，深愛之。

第十六首

「曾上天山餐大雪，又浮東海挾雄風，」①

來日建國，依著天勢築圍牆是我們的願望，
我們必得實現那意境：
「山河扶繡户，日月近雕梁。」②
「觀古今於須臾，撫四海於一瞬，」③
盡挽天河怒濤洗淨九州瘡痍後，
硬借長虹爲樑，搬來十萬大山做磚，
重建乾坤，看這一代人的手段。④

註①易君左詩句。
②杜甫句。
③陸機「文賦」句。
④「深維社稷之計，規恢萬載之策。」（揚雄）「處國於不傾之地，積政於萬全之鄉，載德於不止之輿，行令於不竭之倉，使民於不爭之塗，開法於必得之方。」（杜恕「論政」）

第十七首

崑崙山伸出五指撫觸中原壯闊的顏額，
東海以藍色的謳歌輕搖群島玲瓏的心境，

世界的屋脊上，年輕的太陽正披著聖紅的寬袍散步。

春天用細草和微風編織祖國的綠岸，
奔馳的萬里風雲的卷面上，鳴鵠表演雄快的書法，
當微溫的大地被我摟入詩句的臂彎裏，
啊啊，我便爲祖國詠讚！

第十八首

掀開春天的扉頁，精讀多瓣的詩句，
在桃李的笑靨、鶯燕的珠喉、楊柳的髮絲，
以及流星的嘴角、新月的腰肢……都飾上我的戀。

集所有柳條的柔溫，爲猛虎鑄造摯愛，
蒐萬紫千紅的香焰，給鷹鷲冶煉眞情，
教毒蛇日行一善，教蚯蚓吟詩，教大毛蟲變花蝴蝶……

第十九首

地球慢慢地轉過身子醒來，太陽便跳上山尖了，
祖國用一片嫣然的金光，迷耀我的雙睛和心中的詩句；
天堂的頑石、地獄的煉火、以及夜，都一齊化爲朝暾腳下的灰燼。

祖國之子們在其胸脯上開始躍動了呀，
煙囪開出世紀的黑色名花了，一頁頁的隊伍集成大軍的合訂本了，
呼動著，歡躍著，是祖國雷霆的歌音震響於蕩闊的幅員啊！

第二十首

一隻蝴蝶正揚起彩帆，駛過一片繁花的港，
剛被蜜蜂搖拍過的一朵含著喜淚的花，是懷孕了，
啊，大地的腹中蠕動一個金色的嬰兒，當她嫁給春光。

藍西裝、白襯衫的長空，打一條七色的領帶，虹喲！
雨剛過去，大地便振其金翅，搖響它雷的骨骼，
祖國呀，我聽你敲著噹噹響的不銹鋼的日子，唱起來了。

第二十一首

葡萄酒般的晨風啊，大地是清醒的飲者，
雕滿歌聲的廣場，雕滿鴿鈴的晴空，
國旗睜開美麗的大眼，凌空闊笑了，風雲在歡呼。

裂眦的槍、焦渴的子彈、號角的言語如歌……
日子被憤怒的拳頭錘鍊成高炭鋼了，
祖國啊，我看見您飄響的怒髮如旗，陽光下您的心靈如鏡！

第二十二首

我的靈魂是飲三千頃腥風血雨而不醉的旗，
迎狂飆縱橫飄響，和著祖國鐵喉迸噴出來的歌音，
眼睛是憤怒的火花，心靈有隆隆的飛爆，啊啊，孤劍徘徊，國仇如山！

唱你的空中的長城之歌吧，你閃疾的機群，
把萬民含苞的希望綻成九天的雲霞，舉復國的雄心把太陽生吞，

啊啊，鷹隼長呼，迎三千頃晨風，我的心化爲青史憤怒的旗！

第二十三首

山間的秋雷，是歷代英雄聲聲的叱咤，
天上的霓虹，大地壯士呼吸所匯成，
那日月星辰，列祖列宗遺產中的瓌寶啊！
一聲草蟲、半片落葉、一枚隕星或一絲風，
既是中國籍的，則永不許外人所佔用或租借了，
否則，其屍身將在我們憤怒的靴下橫陳！

第二十四首

浩瀁的東海潮呀，圓舞著一座不眠的島，
這一千二百萬顆音符，騰躍爲一首帶怒的歌，
祖國呀，是您在這兒挺身爲自由的前衛！

百萬里風雲，是待寫的青史的新頁，
隆隆砲響是百萬人心激越的轟鳴。
祖國啊，您舉白日的微笑要逐盡夜氛與魔光！

第二十五首

睡大地的花床，蓋天空的星被，
嚼朝陽的金蘋果，飲夜月的麗水波，
祖國啊，我爲您耗盡多少馬蹄鐵，耗盡了春。
狂吻戰馬的櫻唇，摟抱沙場的臂膀，
熱力似火山迸爆，汗血共長江奔流，
祖國啊，我爲您用殘過多少刀槍，增添了多少疤痕……

第二十六首

祖國醒了，炬般的晨曦啊！
大地的聖顏膏著雲彩的光痕，

士卒秣馬於晨風，長嘯在大旗之下。①
飲砲聲的烈酒，李白劉伶一例不配。
唯排砲之音，頗似霍去病在胭脂山撒播的笑聲。②
笑聲！祖國初醒的鐵喉迸噴的流火之歌啊！

註①「秣馬望天明，長嘯大旗下！」句見成吉斯汗大軍歌詞。
②霍去病大破匈奴，匈奴人為謠曰：「奪我祁連山，使我六畜不蕃息；奪我胭脂山，使我婦女無顏色！」

第二十七首

河川的尊貴和早晨的光榮，鋪展在您的腳下，
嶽色的莊嚴和天宇的敻闊，顯現在您的面前，
日月星辰、風雷雨露的靈竅，被握在您的手中！

半萬年來，您經歷最熱的火、最重的錘、最冷的水，
希臘化泥，羅馬成燼，您獨鍛不朽的資質，
向崎嶇、向顛沛、向板盪，恆在英勇的創造中！

附：「化之所陶者廣，德之所被者大，義之所屬者深，而威之所振者遠。」（劉琨「遺石勒書」）

第二十八首

舊的歌音被槍聲炸碎，新的曲調爲火炬燃醒，
雄風麗日下，我們讀到母親大地朗然的笑意了，
五嶽三山像一群弟妹，在相愛裏更綠了。

五湖四海呀，掀起藍舞裙，盪一曲華爾滋吧，
風雨後，是無邊際的長天一碧，
海有多寬幸福有多寬，天有多長笑聲有多長。

第二十九首

喚太陽揉亮初醒的眼睛眷顧我的故國，
春天在這兒長駐，綠化每一寸泥，
不教悲哀來敲門，不教災難來點火。

讓時間的大江，流掉五具屍體——
那就是暴力、饑餓、奴役、邪惡、戰爭。

回來呀自由！乾一杯您久違的微笑！

第三十首

在群山的倩影、虹彩的綺羅、明湖藍麗的媚眼，
在芳汀的媚唇、垂楊的腰肢、細雨的鬢絲……
寓有你撩人情愫的絕世姿采。

在流鶯的珠喉、鳳凰的肺腑、百靈的巧舌，
以及塔尖上霜隼的言論、名山黃鐘的吶喊、大海磅礴的潮音，
洋溢著你撼人心弦、豪壯的歌聲！

第三十一首

麥子在磨盤中流血時，將有麵包了，
種子在地層下掙扎時，將有春天了，
烏雲洶湧暴雨橫決時，將有晴空了！

請花鳥擦掉眼淚，請山河等待，
空前的苦難將拭亮母親大地的年齡，
泱泱中華，將使群峰穿雲而立，日月昭昭爭光。

第三十二首

以閃電焚毀黑暗，以雷霆喚醒國魂，
以暴風雨釀製成覺醒的大激流，
洗滌這洪荒渾噩的世紀！

以兩極封凍戰爭，以赤道點亮和平，
以地球經緯線織一張大網，
撈起淪沉陷溺的大好河山！

第三十三首

香水，是玫瑰瓣走進榨床而被擠出的，
榮譽呀，英雄在痛苦的鐵砧上鑄成，

勝利來自劍戟，和平來自戰爭，笑渦來自淚痕。
祖國啊，從艱難歲月壓迫中，您榨取出國魂的佳釀，
湖川的淚眼，反映您山嶽的雄偉明碧，
艱難的國步，正孕育您發揚踔厲的雄光！

第三十四首

北地如浮雕，江南如畫稿，
親愛的祖國呀，您優美而奇妙，
無論是面龐、是韻致、或是線條！
我無以復加地愛您，疼您在心脾，
熱淚盈盈，我油然想起意大利加富爾的名句：
「我無妻，我以祖國爲妻！」

第三十五首

您的太陽比那一國的都暖、都亮，
您的明月、清風，比那一國都美、都涼，
因而，我自覺保衛之責更重大了。

踏您的山崗，飲您的海洋，
我是如此滿足於做您的士卒、做您的詩人，
保衛您，歌讚您，是我畢生的願望！

第三十六首

每一寸藍天，都覆蓋著我們自由的理念，
每一朵霞彩，都是我們愛的情操之象徵與祝福的昇華，
四千年天維地柱，我們文化的綠野裏升起不落的朝陽。①
看喲，我們的江、河、湖、海，以及塔和劍描繪的智慧，②
看喲，天山的圍牆，上帝的陽光流動於巍巍的世界屋脊，
誰要懷疑我們的永生，喜馬拉雅山比不上他的錯誤大！

註①魁斯奈（Quesnay）著有「經濟學圖表」。大密氏（Miracean）認爲他是繼承孔子，而他也是一般人稱爲

歐洲的孔子，且是被馬克斯稱爲「現代政治經濟始祖」的人，他說：「中國文化依據天理天則，即自然法。因爲中國在天理天則的名稱下，遵守自然法，所以中國政治社會制度爲萬古不易自然法象徵，因而中國文物制度亦與自然同其悠久不變其性質，故能於四千年中，永續繁榮。」詩句中所謂文化的綠野，該解釋成大自然之綠野中所孕育成的文化，乃是中土立國精神之所繫。

②黑格爾曾說：「中國的園林藝術是著名的。這應該包括著最美的花園，特別是圍牆、湖、河、別墅、浴場等，皆饒趣味，而以藝術輔助自然。」威廉向伯斯（William Chambcrs）認爲中國的園藝師，同時是植物學家、畫家和哲學家。語見其「東方園林論」一書。威廉氏曾二遊中國，甚爲醉心東方。

第三十七首

在閃金希望般的陽光照射下，
天空的愁雲，蔚爲綺麗的霞錦，
天空的眼淚，映成七彩的長虹。
點亮笑聲去焚毀悲傷，加深笑渦去葬埋憂鬱，
祖國啊，陽光絕跡時我們不會缺少典麗的星月，
黑夜濃到極限時，我們帶笑豐收上天的甘露。

第三十八首

地球仍載得住土耳其的棺木，
但凱末爾的震世豪語未必實現，（註）
因爲這地球是個古老的公墓，不斷的下葬許多家國。

偉大屬於希臘、光榮屬於羅馬嗎？那話已湮泯，
且看七千年光輝的埃及，六千年的巴比倫，史頁在風中化灰啊，
只有地球上一葉秋海棠，永在太陽的青睞中，翠綠而芬芳！

註：凱末爾豪語：「土耳其永不會滅亡，除非地球載不住她的棺木。」見耶爾曼（A. E. Yallman）所編「我的時代之土耳其」一書中。

第三十九首

酸心於您幸福的大地，荒蕪於春的哭泣，
我便舉閃亮的愛心爲犁，翻開沃土辛勤地耕耘，
並播種希望、祈禱與祝福於每一寸泥土。

像農父滴下眉毛上的汗珠才撿起田中的稻穗，(註)
我以無匹的力開啓了春，無量的辛勤灌溉了夏，
今天在金風拍翅聲中，看豐年和白霜一同爬上了鬢髮。

註：借句，見「在春風裏」。

第四十首

兇徒的馬蹄狂奔於聖土，激濺起災難，
妖旗撥落了旭日，嗚咽起西風；
祖國啊，是可忍孰不可忍！

死亡的筆觸，描上大地痛苦的聖顏，
燃燒的喪歌，焚毀了田園婉美的詩曲；
祖國啊，是血濃於水、鐵硬於骨、拳高於人的時候！

第四十一首

做您偉大和諧歲月中的一勺螢火，

做您橫瀉匯流之樂曲中一枚飛揚的音符，
做您青史洪流之中的一滴明麗的水珠。

以耀采的心靈美化您青史仲夏夜夢，
以不變調的生命使您完成一曲莊嚴華麗的樂章，
以明潔的心意奔向您光明偉大的遙情！

第四十二首

晨雞的第一聲是從無邊黑暗中挺身啼出的，
迎春花的第一朵是從雪地裏翹首綻放的；
不感受黑暗便不配啼晨，不忍耐奇寒便不配迎春。

美芽出於污土而搖舞於春風，
青螢出於腐草而耀采於夏月；
超人者的智慧是提升地面的濕氣蔚爲空中的雲霞。

第四十三首

芟除憎恨的莠草以我愛心的犁鋤，
向那疑慮的泥地，播下信心的籽種，
以樂觀灌溉理想期有願望的收穫。

在滿是創痛的歲月，我擁抱卓絕的堅忍，
在滿是頹喪的所在，我栽下振奮的根苗，
在魔影滔天的時刻我敲響震聾發聵的心鐘！

第四十四首

蘸一筆信念，向暴風雨描繪藍天，向黑夜描繪朝陽，
舉生命如彩筆，蘸信念的顏料，
向一己的亡歿描繪祖國的永生。

聖經中「信念」一詞及其同義字共三百五十餘個，
而「凱唱」的信念，在我心底是一脈騰湧的聖河，
衝開一切苦難和障礙，無敵地奔流，向勝利的大海歸赴！

第四十五首

沒有影子則光線不明，沒有痛苦則幸福不永，(註)
百千年來，無數光榮的挫折，鍾鍊我們堅毅的歲月，
一次又一次，從失敗的餘燼裏，我們撥出勝利的火苗！

讓英勇爬上臂膀，讓毅力闖進心頭，
用信心鑄鎔歲月，請沙漠交出鮮花，向風雨索取晴空；
跌倒了爬起來，是祖國前進途中的健身操啊！

註：斯邁爾斯語，見「勵志文粹」。

第四十六首

不是烈火怎能知檀木的芬香，
不是浪漩怎能顯出鯤鯊的衝力，
不是重錘怎能得到鋼鐵的精純？

盤根錯節顯示了寶劍的鋒華，

狂風暴雨顯示了勁草的韌力，
刀山火海推出了震古爍今的雄豪的毅魄！

第四十七首

我們揮重噸的鐵拳，
爲祖國錘鍊出一個晴朗的明天，
這是妖風魔雨阻津渡的日子。

我們拚將頭顱爲火石，
去點亮那熄滅了多年的朝陽，
這是四野蕭條鬼唱歌的時辰。

第四十八首

誰是警鐘、誰是沉雷、誰是狂飆？
在此噩夢叢生的夜，在這寒蟄如死的凍季，
在此魔煙瀰漫毒瘴四罩的時候。

擴大你的音響，試用你的力吧，你壯實的生命，
在這飄搖的世紀，在這板蕩的時代，
在這人海顛簸詩魂漂泊漫漫待旦的長夜。

第四十九首

用風雨和海流鼓動我信心的帆葉，
以災難和浩劫磨礪我勃壯的意志，
藉長夜的闇黑點燃我青煒的心燈。

因爲非順耳而是逆耳的忠言更能受用，
因爲非順風而是逆風的鷹隼飛得更高，
因爲非順境而是逆境的英雄更能創造千秋的偉業！

註：「迎著風，而不是順著風的風箏飛得最高！」爲英首相邱吉爾句。又，清・諸九鼎「與友」書：「鳥之飛也迎風，魚之游也逆水。如此大事當前，須以身入，方得就理；若迴身退避，鮮不摧敗。洗心退藏，此是平日言之，臨事殊不爾爾。」（見「藏弁集」）

第五十首

在風雪夜，信心與我相伴所以我熱情，
在坎坷道，毅力與我偕行所以我活躍，
在茫茫夜，希望與我同在所以我振奮樂觀！

我認識生命啊，疑懼會使我衰老，
墮落會使我醜陋，絕望會致我毀滅，
懷壯志以赴敵，所以我英挺，勇爲國殤則我必能永生！

註：本詩師於 S. Ullman「青春」一詩。

第五十一首

要一架鋼琴出聲，須用十一噸壓力；(註)
百年來，無比苦難的重量呀，
造成我們多難與邦聲中感人神聖的音籟。

要頑鋼泥軟，需要一千四百度的烈火；
百年來，列強兵燹的燃灼呀，
鍊成我們朗硬壯實大地的光輝！

註：語見「荒漠甘泉」。

第五十二首

煩惱之火是我冶煉心靈的烈爐，
危險之境是我鍛鑄肝膽的砧石，
艱困歲月是我抽取智慧的紡錘！

陰影濃是陽光耀烈，暗夜長是曙光已近，
於是我捨了玉砌之途而走向荆棘之路，
膽比斗大！血比花紅！歌比雷響！

第五十三首

因爲我是您的愛子，
所以您訓練我，不讓我躺在彈簧床上，
您把我驅入風雨，趕向烈陽……

我被曬脱了皮，肌骨在灼痛；
雷霧中，我迷途於荆路，而您微笑，
因爲您知道不久我會壯得像一座山。

第五十四首

最堅實的樹木不是在別的樹蔭下成長的，
永遠置於船塢中，並非造船的目的，
所以您要我去交風雨爲諍友，拜山海爲良師。

您在我腳下鋪一條多荆榛的崎路，
又給我一個大行囊，囊中飽裝著苦難；
您把給我的錦繡前程，鋪在遠遠處。

第五十五首

當我從苦難的原野回到您的面前，
您不看我手中的果實、臉上的傲笑，

您只數我身上的傷痕，看夠不夠多。

在您苦難的訓練中，搏鬥是必修的課程，
我纍纍傷痕便是習題中對了的答案，
最後，您使我從最深的創痕中生出翅膀來，您教我飛！

第五十六首

您給我以一條通往勝利的最佳捷徑：「患難」。
當所有前進的路都阻塞、斷絕，
您便留給我那唯一的大路：「信心」。(註)

您不以甘旨爲我糇糧，不以甘泉供我止渴，
您怕我因而停頓、苟安、而導致毀滅。
於是，我感悟到了：痛苦原是生命的靈芝！

註：師「荒漠甘泉」篇章句意。

第五十七首

在我生命的教堂，您給我許多功課，
都是要我流著淚去學習的。
如果我的答案上有一絲傲笑，您就打一個叉。

您怕我將來臨敵，因笑而疏忽致敗，
您怕我將來經不起考驗，而放棄勝利，
所以現在您給我許多功課都充滿了棘叢、懸崖、淵落……

第五十八首

用憂患的犁耙，您耕墾我的心田，
您要我用淚水來灌溉，用嗚咽來施肥，
期來日有豐美的收穫。

您熟悉那「成功」之苗的植法，
您便犁得深深，植得深深，
您知道我在痛苦，但更知道我痛苦後的豐收。

第五十九首

您不要我做您室內的盆景樹木，
您要我做一棵足以抗拒風雪的蒼松；
您不要我是一盤鬆懈的沙，而是巖石！

您堅強子孫中的英雄來自痛苦的鐵砧，
您的烈火使磁器上的文繪彩色永遠鮮明；
生命的米顆必經磨碎才能做理想的甘飴！

第六十首

您舉起我的精神擲入那熊熊烈火，
無視於我的劇痛和掙扎，
因爲精金美玉的人品，必經烈火熔來。(註)
您置我於雪地冰天，要我獨鍛奇骨；
祖國啊，我咬著牙，鍛礪著，想著您那聲音：

「寶劍鋒從磨鍊出，梅花香自苦寒來！」

註：引用明・洪則誠「菜根譚」句意。

第六十一首

在和平女神草墓上哭泣的清風，非您之清風，
在鐵絲網上流血掙扎的明月，非您之明月；
祖國啊！立於您血的痕影，我擲筆告別詩神。

而當那清風，在大旗上吶喊起來，
當那明月武裝了起來，以萬里寒光照鐵衣，
啊祖國，我竟是您的詩人，當我是一個士卒挺立在槍林彈雨中！

第六十二首

不惜灑我最後一滴之血液而奮戰，①當我盡瘁仆地，
有如力竭而止的雄風，有如烈燄焚盡的森林熄滅於平原，②
祖國啊！珍惜您的淚如珠，莫爲我悲泣。

生時我是您食毛踐土的愛子，死後將化做一握春泥，③
獻身於您的大地春耕，裨益您稻麥的根苗，
永遠，我屬於您的愛，像燃燒的房屋屬於火燄！④

註①「費希德告德國國民書」中之引用句。
②「印度史詩」中之引用句。
③「又疑身骨不化土，定作金鐵埋重泉。」（王令詠張巡，見「先民浩氣詩選」）
④短篇小說之王莫泊桑句，見「愛情的火燄」。

第六十三首

我攀著暴跳的號角的流蘇，憤慨長嘯，
我騎著燒紅的彈道，猛厲地前進！
祖國呀，讓我「去欺侮那些欺侮我們的人」。（註）
不惜我血與眾血，共長江黃河以奔放，
不惜我骨與眾骨，共崑崙天山以崢嶸；
祖國啊，讓我去毀滅那企圖毀滅光明的黑暗勢力！

註：成吉思汗語。

王禄松
59

石立

石生銘字長
山久谷神虛

北周・王褒句寫意

第六十四首

我磨濃青春歲月的「金不換」的墨，
在您尊貴崇高的額上寫著：「爲國戰鬥」！
那是我潑血如墨、運劍如筆、神聖的生之宣言。

我翻開心斗，量不盡對您的愛，
所以我更改生之哀弦爲激昂的音曲，
不敢教我的詩篇學那搖落的梧桐，憔悴地披滿西風。

第六十五首

祖國啊！當我像蘆薈或麥子，浩然捐生，(註)
請輕掩我以您芬芳的春泥，我將從墓縫裏呈遞你以不凋花，
一如我活時的筆展開給您以燦爛的詩瓣。

我醉飲您河嶽的秀色，吻您天宇的聖顏，
歿後享用您芬芳的大地，自守忠貞的骸骨，

我將以靈魂傾聞您富強的笑聲灌溉我忠愛的詩篇！

註：熱帶有一種名叫蘆薈的植物，無聲無臭地生長了一百年，才到它開花的時候。頂端長出一個奇妙的蓓蕾，這蓓蕾裏開出一千朵美麗的奇葩，成爲熱帶人民誇耀的花中之后。然而這植物的開花，對它卻是犧牲，因爲它只開一次花，開過即行枯萎。而更奇的是，那一千朵花落到地上，立刻在土中生根，成爲蘆薈的苗。也就是在它母株枯萎的時候，花就紛紛落地，於是下一代的蘆薈就會蓬勃了起來。一個生命的死亡，換得了一千新生命！

第六十六首

我們激昂的呼吸，匯成高空莽鬱的雲，
我們憤怒之歌，長使國運的午夜那賊亮的魔燐顫抖，
黎明，我們的意志扶旭日東昇。

第六十七首

哨兵巡邊的足跡，構成海防的鎖鍊，
浪排是呼嘯的城塹，沙灘貝殼怒開著火花的眼睛，
祖國手握著的海峽，是一隻晶亮的歷史照妖鏡！

祖國，祖國啊！
每一次呼喚您我都熱淚盈眶熱血沸騰熱情澎湃！
擁抱您以我的靈魂，付出了愛我竟淚流滿面……

當戰陣的勇氣行將消逝時是您使我增添了勇氣，
當取勝的信心快要喪失時是您使我恢復了信心，(註)
當美好的希望瀕於熄滅時是您爲我燃旺了希望！

註：句師 S. Ullman 詩句。

第六十八首

陰霾搶劫了雲彩，冷雨攫走了陽光，
閃電焚燬了虹，雷炸碎了靜寂，來了長夜，
祖國啊，我看見您披髮狂奔，穿過歷史的荒原……

燃流血的拳頭爲火把給祖國照路吧！
灑脂膏爲柏油，鋪骨碴爲碎石，獻生命造康莊吧！
祖國，祖國！這是您最最需要我的時候！

附：「夙興夜寐，寢不安席，食不甘味，目不視靡曼之色，耳不聽鐘鼓之音者，以不得事漢也。」（趙佗「上文帝書」）

第六十九首

擲我以天堂的纍纍頑石，
焚我以地獄的熊熊烈火，
鞭撻我以無數暴怒的死亡或毀滅。
都無礙於我呈獻出粒粒的眞、滴滴的愛，
都無礙於我的純忠純誠、我的意志和宿願——
整個生，整個死，全要奉獻給祖國！

附：亮涕泣曰：「臣敢竭股肱之力，効忠貞之節，繼之以死。」（陳壽「諸葛亮傳」）

第七十首

我獻給您以永不褪色的熱血，
我呈給您以燦爛不朽的青春，

我奉給您以萬古不磨的詩心！
熱血用以灌溉您的焦土使之復甦，
青春用以服務您的理想使之實現，
詩心用以讚歎您的偉大，顯示我崇拜的激情。

第七十一首

我是戰士，酷愛著和平，不嗜拚殺，
因爲我得在征戰中留下創傷，付出鮮血；
可是，誰忍耐得挑戰者的濁痰已吐在臉上？

我是仁者，最最不喜歡拔劍，
但小鴿夭亡、橄欖折枝、和平鐘裂……
祖國啊，我已用完了所有的忍耐！

第七十二首

我豈是一個好鬥的人呢？
祖國啊，如果您的日星無蒙塵之哀，河山無瘡痍之痛，
我也願是個陶潛，潛向自然，潛向澹泊……

無奈，狼煙千丈，遍地哀鴻，
見到您的太陽渾身是血，月亮哭暈在尸堆裏，
於是，我成爲仁慈的嗜殺者、忠勇的喝血者了。

第七十三首

就一隻昆蟲、一襲蛛網、一羽草葉、一握春泥……
我都爲您列入了「動產」或「不動產」。
您的一顆露珠，或一枚卵石，皆屬珍貴不可犯！
那一個異國人敢伸腳來您領土上帶走一粒砂、
撿去一瓣落花或竊取一勺星光？
祖國啊，我會把他的皮剝下來掛在槍刺上！

第七十四首

誰把片片腥風掛上您的枝頭？
誰把熊熊兵燹譜向您的土地？
我向他噴射燃燒的憤慨、燃燒的咒叱！
是誰折斷您的鴿翼，是誰覆了鴿房？
我如焚的怒眼透過腥風去索取他的形像，
讓我挺身而起，拔劍而追，把他碎屍萬段！

附：「可怒而不怒，奸臣乃作；可殺而不殺，大賊乃發。」（姜尙）

第七十五首

灑我熱血於您的荊叢使變成花園，
揮我熱淚於您的漠地使變成綠洲，
傾我熱情於您的江河使成爲暖流……
不要使我悲吟「目懸國難淚空流」，

不要使我悲吟「心在天山，身老滄州」；
祖國啊，給我劍，給我盾，給我征騮！

註：引號內皆陸放翁詩句。

附：「憂國之言，使人做憤激之氣；愛國之言，使人有厲進之心！」（梁啓超句）

第七十六首

我爲您活著，手握不老的河嶽，
心游萬仞，神馭八荒，
振衣於世界的屋脊，濯足太平洋。（註）
撕落掛在臉上的暴風雨，
生吞閃電，咬碎雷霆，踩滅黑暗，
我要將那流動的太陽捆定在您的天山！

註：陸士衡賦句：「精鶩八荒，心游萬仞。」
　　左思：「振衣千仞岡，濯足萬里流。」

第七十七首

餓吞十萬雄兵，渴啜千頃血雨，
上刀山健足如飛，挽火海滌盡奇愁；
祖國啊，我活著做您的鐵漢！

搏鬥裏，破碎的沙場是我的殘椅，
征戰中，沉吟的血海是我的浴盆；
祖國啊，死後我憑毅魄做您的鬼雄！
附：「功名富貴，早等浮雲；成敗利鈍，且聽天命。」（張煌言「答趙廷臣書」。見水槎集。）

第七十八首

爲您，我踏碎賀蘭山，
爲您，我橫起鋼劍，把樓蘭斬成兩段。
我曾把軍閥割據的土地提過來，向您獻上！

爲您，我曾揮拳擊退那滾滾風暴，
咬著牙一腳把來犯的雷霆踢翻；
我曾把富士山的頭砍下來，供您早餐！

附：「擁甲兵與我角才智，逞勇力與我競雌雄，……角智者皆窮，角力者皆負……乃始羈首係頸，就我之銜紲耳。」（仲長統「昌言理亂篇」）

第七十九首

當苦難封鎖了您輝煌的歲月，
我擊劍昂吟：「食案以外即戰場，
劍影之外即天堂！」（註）

雖然我力量還小，
但責任所在，我將力一努，
便把您整塊山河扛在肩上！

註：詩人黃公度（遵憲）句。

第八十首

拓生命的衢道，逐運數的波濤，（註）
把逆境陶鎔美感，將苦難裁成樂趣，

我勒情感的怒馬，挺立人性的峰巔。
開思想的淵獄爲青天白白的境界，
闢艱險的絕境爲柳暗花明的新村，
我舉心頭的烈火焚燒滔天的魔魂。

註：句見「悲劇哲學家尼采」一書。

第八十一首

在歲月尚未向我進貢白髮之前，
在年齡還未遣派皺紋圍攻我額角之前，
活力獻花於我的生命，桃李祝福著我的青春。

這正是爲您不眠不休發憤忘食的時候，
這正是爲您攜戈荷戟揚鞭躍馬的時候，
看啊，我鼓舞、我騰躍、我縱橫、我奔赴！

附：我於祖國，「尊之則爲將，卑之則爲虜。抗之則在青雲之上，抑之則在深泉之下。用之則爲虎，不用則爲鼠。」（東方朔「答客難」）

第八十二首

不畏如雨的炸片蹂躪這七尺之軀，①
不惜成江的鮮血灌溉將萎的希望，
祖國啊，我的視野已超乎生死的界限。

爲使一新的鳳凰在熊熊烈燄中昇起，
爲使一新的理想在青青的膽邊滋長，
祖國啊，我的腳步已衝過禍福的界線。

註①「如雨的炸片，成江的鮮血。」（見羅家倫「新人生觀」一書）
②「成功則造出莊嚴華麗之國家，共享幸福。不成功則同拚一死，以殉我黨之光輝主義，自不失爲殺身成仁之志士。」（國父句）

第八十三首

憑一粟的生命，傲視歲月的滄海，
我發揚思想，像蒼鷹長翔於天宇，
我創立人格，像孤松挺立於大地！

要姓名的三層塔投影於青史的高原，
我提生活上鐵砧，著力於生的鍾鍊，
我焚鴻毛於泰山，精明於死的抉擇！

第八十四首

青春的急管繁弦後面，是秋的悲白哀調，
炎夏的烈烈赤道後面，是隆冬凜冽的冰風，
那是時悲時喜的季節、自然無常的面譜。

而祖國啊，呈獻給您的我有四季不凋的心朵，
熱血、熱血，如流不盡的滔滔江源，
忠愛、忠愛，如永不朽的皎皎紅日！

第八十五首

我生存，愛火與情燄共熾，
我戰死，鮮血與懷念並流，

爲了您的草原、您的山岳、您的田舍和溪澤。

無惜於一朝風燭萬古塵埃的生命，
爲您屹立做一塊擋箭的盾牌，
爲您倒下做一塊忠貞的紀石。

附：海岱馳驅，河朔揚鞭，懷裏屍馬革之心，抱霖雨蒼生之願。

第八十六首

懷著一條琴索的情，一顆音符的心，
懷著一支史筆的堅毅，一把軍斧的慷慨，
爲您高歌，爲您創造，爲您開拓！

懷著一勺星焰的夢想，一支火炬的願望，
懷著一支戈矛的勇氣，一顆炸彈的熱情，
爲您燃燒，爲您挺進，爲您浩然捐生！

附：胡宗憲讀「漢書」，至終軍請纓事，乃起拍案曰：「男兒雙腳當從此處插入，其他皆狼籍耳。」

第八十七首

挫萬物於血染的劍鍔，（註）
運雄師於粗糙的手掌，
我爲您活著，渾身都是膽。

控乾坤於炯厲的眼底，
挑日星於鐵質的肩膀，
爲您活著，我氣燄萬丈！

註：陸機文賦有句：「籠天地於形內，挫萬物於筆端。」

第八十八首

健身攀山山搖動，
鐵足踏水水不流，
祖國啊，我是您的猛士！

心湧春雷鬥風雨，

手提旭日照山川，
祖國啊，我是您的愛子！

第八十九首

我的情感在忠貞的理念裏生根，
我的愛心在征戰的歲月裏開花，
我的生命在壯麗的凱唱裏結實。

一如春天開完花而離去，在我灑盡鮮血離去時，
祖國啊，我想像到您含著熱淚呼喚我染血的名字，
當您隕星群般痛哭的大地回復到笑渦。

第九十首

像火柴爲了光，像油燈爲了夜，
像被採的花朵爲了香精，埋下去的籽粒爲了收穫；
祖國啊，造化給我以生的義蘊和死的意向，爲了您。

當我灑熱汗而工作，冒鋒鏑以征戰，
我明瞭，爲了您，造化才賦我以生，
像筆爲了字，戈矛爲了勇士，子彈爲了決滅仇讎！

第九十一首

我是結成鐵壁銅牆城塹的一粒沙，
我是匯成焜天燭地的銀河一顆星，
我是織就萬紫千紅的春原一朵花！
沙凝得堅，星亮得明，花開得艷，
是爲那城堡，爲那天河，爲那陽春！
祖國啊，我健全渺小的自己，爲了神聖的您。

第九十二首

做您偉大和諧歲月中的一隻螢火，
做您横匯流瀉之樂曲中一枚飛揚的音符，

做您歷史主流之中的一滴明麗的水珠。
以耀采的心靈美化您青史的仲夏夜夢。
以不變調的生命使您完成一曲莊嚴華麗的樂章，
以明潔的心意奔向您光明偉大的遙情！

第九十三首

斟滿四億子民的空寂之心杯以您醇美的慈愛，
哺育初醒的民權於光耀的民主搖籃之中，
蓋它以愛心無限，溫暖它以歌曲的文火。

祖國啊，照顧自由，您是五千年來最好的褓姆，
撤種族的樊籬，惠民主以滋發，您是最好的園丁，
因爲，您做每一根苗的慈母，又是每一花葉的友人。

第九十四首

「饑餓、破爛的服裝、晝夜的奔勞，
以及受傷後的沒有醫藥，死亡後沒有棺木，」①
這有甚麼關係呢？我是爲您的統一、獨立、強大而戰呀。
「死了便埋」，但我不是名士，我是戰士，②
讓我高吟「埋骨豈惟桑梓地，人間到處有青山。」③
生憑壯心做您的鬥士，死憑靈氣做您的鬼雄！

註①意大利三傑之一的加黎波蒂，在答覆請求入營而詢問待遇的士兵信上說：「我們這裏的待遇是饑餓、是破爛的服裝、是日夜不停的奔波、是受傷後的沒有醫藥，和死後沒有棺木。不過，我告訴你，我們有光明的遠景，偉大的理想，我們是爲祖國的統一、獨立、和強大而戰！」

②竹林七賢之一的劉伶，每出遊，常使童子荷鍤相隨，云：「死於何處，便埋於何處。」當時士大夫皆以爲賢，爭慕倣效，謂之放達。

③日本僧月性題壁詩句，全詩爲：男兒立志出鄉關，學若無成死不還；埋骨豈惟梓桑地，人間到處有青山。

第九十五首

水流與水流的交抱，青山與青山的結伴，(註)
那裏我心與您心，我魂與您魂，

像水與泥的合而爲一，您中有我，我中有您！
於是，對您，我生時獻出了能，死後完成了美，
一如那水泥砌造的巨柱一般，
水乾後，士敏土便完成了堅固的恆永。

註：「水流與水流的交抱」爲詩人徐志摩句。

第九十六首

我堅強的信心啊，支起您鐵的身架，
翹首高出雲表，戴起那北晃星爲華冠；
看啊，祖國偉大的遠景，需要您的眺望！
我不羈的希望啊，鼓起您金的巨翅，
鷹一般，從苦難的巉巖上飛掠過去；
看啊，祖國的風雲，需要您的鼓盪！

第九十七首

長蛇封豕，社鼠城狐，①

在這漏船之夜做著燕雀之爭、魚蟲之戲，②

祖國啊，他們看不到您悲憤的臉、含淚的呼喚。

但讓我們像眾星的拱北辰，像江漢的宗大海，③

在這陰霾四塞、滄海橫流的時候，④

淚滴於羅盤，力落於舵柄，堅持著您的「西北西」！⑤

註①長蛇封豕：喻凶惡之物。左傳：「吳爲封豕長蛇。」

社鼠城狐：晏子春秋：「社鼠者，不可薰，不可灌。」言鼠依神廟，狐處城中，特以自固，人莫之何也。

②漏船：戚繼光治兵語錄：「諸君以今日共坐之處，是何處耶？此非三間房子，乃是一隻漏船，又當風波之中；若是睡的自睡，坐的自坐，讎人反目，各不同心，將使船被風浪衝破打碎，彼時無分賢愚，無分恩仇，都是溺死。遭此之際，便是異心仇人，既在一船，說不得平日不相識，亦說不得平日有仇怨，推此共患共難之心，掌舵的掌舵，掌繚的掌繚，同心同力，將此船撐過江海，到了岸上，方能生存；今要求漏船過得風浪，卻人人不齊心，不共拚一個死力，那個人免得過耶？」燕雀、魚蟲句：「嗚呼，大廈將傾，燕雀尙爭必覆之巢；壺水將沸，魚蟲猶作優遊之戲，可恥也。」語見民初唐繼堯日記。

③眾星拱北辰句：民三年， 國父改組中華革命黨，黨人意見不一，陳英士致黃興書，有句：「美以爲此後欲達革命目的，當重視中山先生主張，必如眾星之拱北辰，而後星纏不亂度數，必如江漢之宗東海，而後流脈不至於紛歧。」

④「陰霾四塞，相期攜手同仇；滄海横流，端賴和衷共濟。」語見陳其美致黃克强書。

⑤西北西，爲哥倫布探險中所堅持不變而卒爲發現新大陸的方向。

第九十八首

甚麼汗甚麼血甚麼淚水我未曾迸流？
在荒地、在高原、在山的崎嶇、谷的深險，
我的血如胭脂塗飾您大地的顏頰。
甚麼苦甚麼酸甚麼災禍我未曾經歷？
在餓、在渴、在不成眠的戰夜、在劇痛的晝，
祖國啊，我征戰的步音是您覺醒的鼓聲！

附：「老當益壯，寧移白首之心？窮且益堅，不墜青雲之志！」（王勃「滕王閣序」）

第九十九首

生時我鼓舞於您染血的大野，
死後我長眠在您芬芳的草原，

一生，一死，祖國啊，爲了您！
願您昇平的日月是我墓頭的燭火，
願您的風霞流虹化爲我夢中的彩蝶，
享用您甜美的大地，祖國啊，讓我安息！

附：菲律賓國父黎剎，殉國前曾寫「我的訣別」長詩，
最先三句：「再會，崇敬的祖國，陽光撫愛的土地，
東海的明珠，我們的失掉了的樂園！
我欣然將我這悲哀的生命獻給你。」
最後三句：「謝蒼天，使我得由疲人的歲月脫身，
再會吧，親切的生客，我的朋友，歡欣；
再會吧，令人眷戀的萬物。死就是休憩。」

第一百首

以狂飆灌醉丹心，重溫一遍古斯巴達的勇武，①
披肝瀝膽，複誦加黎波蒂的陣前演說，②
霍霍的磨刀聲過後，是馬兒摘了項鈴萬人啣枚的大進軍。

祖國啊，我們是「啜血的獅子」而非「柔順的鯉魚」，③

爲您，我們願以滿腔熱血、換卻人間淚，獻此身、獻此心，

「永遠在腦中高喊前進的口號！」④

註①斯巴達爲古希臘拉哥亞州首邑，建於西元前一四九〇年，李考格提倡尙武教育，舉國一致，專用力於武事，其尙武精神懾伏諸城邦。其王里奧尼達被譽爲人類史上最年輕的英雄，十一歲而以三百禁兵血戰波斯大軍，灑其最後一滴血於色摩比利山口而與國偕亡，無一生還者，亦無一降者。

②意大利建國三傑之一——加黎波蒂。一八四九年拿破崙三世以數萬大軍薄羅馬城，加氏率兵奮戰，終以寡不敵眾，棄城轉進，臨行就陣前對其部伍發表演說，聆者無不聲淚俱下，均願捨命追隨加氏以挽國運於狂瀾既倒之時。

③「啜血的獅子」是鐵血宰相俾士麥於一八六三年對委員會發表其「唯有鐵和血」的政策性演說而被認爲在歐洲政界投下炸彈、全普魯士爲之鼎沸、當時歐洲人所贈予他的綽號。「鯉魚」句爲一八八八年威廉一世九十誕辰時俾士麥爲安固德意志地位，乃毅然解散議會，提出軍事預算新會議，而以「我們德意志人畏神」爲題，發表了一篇至今猶膾炙人口的演說，中有詞曰：「位於中央歐洲的我們，三面都是敵人。歐洲這個池中的梭子魚，使我們不能做柔順的鯉魚……舉國一致之當前急務，爲自衛須先進攻！」

④拿破崙未臻全盛期之時，曾率六萬兵馬越阿爾俾斯山進軍意大利，時兵士皆陷饑饉，面呈菜色，按實情礙難進軍。拿氏乃於伍前，做簡短而充滿吸引力煽動性的演說，兵心爲之鼎沸。此詞爲其該次講演之最後一句。

第一〇一首

獻給您以一雙佈滿青筋的血拳，
獻給您以一組爆雷般的步音，
獻給您以一顆亮著銅鈴巨眼的無價頭顱。

血拳用以點燃成爲您照路的火炬，
步音用以揮響成爲您勇猛前進的鼓鈸，
頭顱讓我連根拔出，撞響您大革命的洪鐘！

第一〇二首

忠義清輝、綱常浩氣、尚武精神，
在鏗鏘的大地上編織成剛健的傳統，
祖國啊，卿雲投影下，是你貞淑的河嶽。

聖賢肝膽、豪傑血淚、俠烈行蹤，
踔厲爲兩間正氣，振播爲曠古的英風，

祖國啊，抬望眼，是你日星風雷奔縱的長空！

註：本詩第五句原爲「踔厲爲兩間正氣，凜冽振絕上古英。」蓋得自孔稚圭白馬篇：「當今丈夫志，獨爲上古英」之句。後改，然不辨何者爲較佳。

第一〇三首

我的歌能化猛虎爲羔羊，化荒鷲爲雲雀，
我的歌能使花蕾展翼，海流歡笑，清風拍翅歡唱，
是因爲啊，它的每一旋律來自祖國的愛。
我歌的眞摯使鵑鳥泣血，我歌的精誠使頑石點頭，
我的歌是不枯的海潮、不凋的陽光、不落的星，
是因爲啊，它的每一音符來自心愛的祖國！

第一〇四首

聽！我的歌聲使整個天地痙攣，
祖國啊，如果我非爲您而歌，

我的音量豈能勝於鳥唱蟲鳴。
看！我的壯臂在半空裏搖撼著風雨，（註）
祖國啊，如果我非爲您而生，
我的身手必將瘦弱似枯枝朽藤！

註：「影搖千尺龍蛇動，聲撼半天風雨寒。」（古詩句）
附：「聞之者懦夫成勇，劍客思奮。」（楊衒「記洛陽大市」）

第一〇五首

您聖容照射下我將葵花般的丹心仰起，
綴飾片片詩瓣我串成這獻呈的花環，
潑墨如血，運筆如劍，這是誠摯的抒發。
祖國啊！請莫嫌這酒不夠馨醇，莫嫌此歌尚欠精純，
因爲，我是您的一介武夫而不是翩翩文士，
我是您的革命黨人而不是純粹詩人啊！

第一〇六首

我們每一細胞裏都犇突著火牛！
我們每一毛孔中都築起了碉堡！
我們每聲脈搏裏都跳躍著田單！

升起來，每根毛毿都升起一面大旗！
律動起來，每寸血管都動起元人長征的馬隊！
奔衝吧，每股力量都是開拔到朱仙鎮去的岳家軍！

第一〇七首

我們像無數星斗，依皈在藍空，
我們像朵朵太陽花仰望向麗日，
我們像殷紅的血液匯聚向心臟……

像無數拳石，我們擁護著您，您是山崗，
像無數江河，我們奔縱向您，您是海洋，

像無數的根葉，我們嚮附於您，您是春光啊，祖國！

第一〇八首

如果您問我們愛您有多深？
請看黃沙原裏的白骨，荊棘叢裏的殘肢，
散布似貝殼的是陣亡者的異域荒塚。

水寒草苦、爲您跋涉，關河絕塞、爲您飛越，
淚辛酸、血殷紅、情悲壯……
丹心在抱、寶劍在握，表現我們愛您有多深！

附：「不思報國，豈忠也哉！」（「忠經」）
「揮白刃而萬定死生，引虹旗而千決成敗，退龍劍而卻步，月下開營，進鯨鼓而橫行，雲前起陣！」（「錦帶書」）

第一〇九首

崇高的，您的山嶽英挺如聖賢的骨骼，

飛翔著，您的歲月有如天使的翅膀，
奔流的您的江河，大地的血液，子民的乳汁。

廣大幅員，是綠如藍的堆綺砌玉的風景線啊，
如糕泥土、如乳河海，漫瀰著芳美的香息……
爲您歌、爲您詩。爲您生死啊，祖國！

第一一〇首

崑崙邈遠，五嶺蒼茫，河海浩闊，
如錦如繡的廣袤幅員，釀造了無量畫意，亙古詩情。
祖國啊，還有甚麼比您更廣大，除了您無邊的愛心？

峨嵋峻拔，泰岱崢嶸，萬山出九天，
我屹立於世界的屋脊，披星辰而謳歌嘯唱，
祖國啊，有甚麼比您更崇高，除了您仰止的理想？

第一一一首

先民的浩氣，凜冽到如今，
虹貫日的毅魄、髮衝冠的忠憤、石飲羽的精誠，（註）
祖國啊，那個不是您親生的愛兒？

呼鷹古戰場，飲馬長城窟，
睢陽城中，燕然山前、麒麟閣上，
祖國啊，那個不是您心中的骨肉？

註：「長虹貫白日，易水急寒風。」（陽縉「賦得荆軻」）「壯志凌蒼兕，精誠貫白虹。」（駱賓王「邊城落日」）「惟誠可以破天下之僞，惟實可以破天下之虛。李廣疑石爲虎，射之沒羽；荆軻赴秦，長虹貫日，精誠之所致也。」（蔡松坡語）

第一二二首

來自神聖不老的胎房，您的子孫無數，
有投筆從戎的壯士，有慷慨死難的書生，
有馬革裹尸的老將，有挺身殺敵的少年。

海外孤忠、北牢正氣、燕然勒石，

霜天曉角、大海潮音、千百代猶氣吞萬里如虎，（註）
文章赤膽、詩魂熱淚，是您不老胎房之所生！
註：「金戈鐵馬，氣吞萬里如虎！」（辛棄疾句）

第一一三首

絕塞飛騎、冰雪清澡、中流擊楫、
梅花嶺上招魂的腥風、首陽山上採薇的雙影，
那一個不是您心血骨肉的凝鑄？

您靈心的複寫，您德性的造型，您摯愛的結晶，
是那汨羅的詩臣、綿山的孝子、郾城的烈將，
臨表雪涕，宮牆泣血，千古下猶有餘情！

附：哲人康德愛慕我國，讚頌我國：「中國的偉大吸引了我，這個國家的偉人們，比起我們德國人顯得文化更高。」以及「中國人是所有人類中最有深度的人」等等。（見威爾杜蘭著「世界文明史」）

第一一四首

清曙

懸空寒色淨，
委照曙光盈。

唐・陶拱句寫意

祖國啊，您舉塔里木盆地於唇際，
飲五千年的陽光而不醉。側取泰山爲枕、
傍渤海而眠，讓夢境展開爲北國之春。

垂天風爲羅帳，蓋霓雲爲錦被，
祖國啊，您悠然仰臥、只因偶一呵欠，
竟生吞了十萬雄星！

第一一五首

祖國啊，您以地球的經緯線織成大網，捕捉烈性的時代。
您拔地軸爲針，搓赤道爲長線，
縫補起中華民族的碎片。

將千年歲月萬里河嶽打成小小的包裹，寄給理想與光明。
您灑掃心靈的庭户，用詩句鋪築一條精緻的路，
迎接日月星辰連袂來心中同住！

第一一六首

祖國啊，我們敬禮向您的
蔚藍秋空裏白色向日葵的旗章，
百尺火霞薔薇血液的紅地的旗幟，
迎大風講演、向長空展翅的呼烈烈的旗章啊！

睜開國魂的眼睛，掀起泱泱大國風，讓
萬山貫雲而立，千河越野而流，
天長、地久、皎皎麗日盈盈笑靨的旗章啊，
棲滿了我們的愛與無盡的飛吻！

第一一七首

以燧人的火種譜向世紀的荒原，
以軒轅的歌風鼓舞雄軍的巨浪，
以曠古的熱血奇葩繡飾國運的園林！

讓旌旗飛火、號角嘯怒、馬鬃燃燒，
戰鬥的名山已挺起多森林的胸脯宣示：
風雪後有雄飛的春天，暴雨後有清醒的太陽……

第一一八首

受慈母的一吻，我成爲詩人，
而祖國啊，受您的一吻我變爲勇士；
含熱淚以謳歌，灑熱血而奮鬥，
愛您所認爲當愛的！

我的筆如快槍般射出文字的彈粒，
我的槍像健筆般寫出激昂的詩章，
心凌鐵血、掌撥雄風、力拔山嶽，
祖國啊，平去您認爲所不平的！

第一一九首

我是苦難民族的一滴血的凝聚，
我是受辱祖國的一泡淚的結晶，
我是激昂年代的一團火的孕育。

血般紅於宣言，淚沖洗著屈辱，
火燒燃騰焚在長夜……
一如軒轅車轍，火牛蹄痕，是我歷程的腳印！

第一一〇首

不泅游火海不能擒拿勝利的龍蛟，
不攀登刀山不能擷摘成功的花果，
不涉越血河不能抵達幸福的彼岸。

砍向盤根錯節的巨斧是何等的犀利，
迎向暴風烈雨的鷹姿是何等的矯健，
顛沛横逆、出生入死、英雄啊是何等的榮耀！

第一二一首

生時，我享用您雲雨和太陽帶淚的熱吻，
我用撞針和來複線縫補您破裂的山河，(註)
讓秋風鐵馬向我心頭鐫出永恆的微笑。

有一天，抓一把您金色的泥土，
輕埋我一生的忠貞壯烈，
請您用地下的泉水爲我唱一支永恆的歌！

註：撞針在槍栓裏，其功能爲撞擊子彈的尾部使火藥爆燃，逼彈丸逸出。來複線是槍管裏的旋形軌線，功用在導致彈丸準確的命中目標。

第一二二首

以勇治懦，以愛療恨，以忍醫創，
以劍以火以鐵以血以拳頭和額上的青筋，
來醫治民族心頭悲憤的壘塊！

虜血爲飲，虜肉爲餐，虜頭爲器，
以精勤的歲月以戰鬥的呼嘯以生命的搏鬥
來報答雙親與邦國無限的恩情！

第一一三首

當天空覆靆著烏雲，閃電點炸了沉雷，
草木才能分到活命的雨滴；
祖國啊，陰暗的時辰寫著您再起的生機。
當洪爐焚著烈焰，匠工揮舞著巨鎚，
廢鐵才能獲得再造的堅銳；
祖國啊，燃燒的苦難將帶來你更新的光輝！

第一一四首

不被搗撥的琴絃沒有跳躍的音符，
不被燒燃的蠟燭沒有生命的火花，

不被風動的靜海沒有美麗的波瀾。

音響來自震撼，光明來自燃燒，
祖國啊，您在高歌因爲您心上掀起了狂飆，
您必得勝因爲您是如此不屈的戰鬥！

第一二五首

塵裏振衣，泥中濯足，名利的追逐；
飛蛾投燭，羝羊觸藩，富貴的希求，
祖國啊，黃金何異糞土，當他們空手歸去。

而您只給我以暗室漏屋的青天白日的節義，
您只給我以霜天雪地紅梅翠竹的詩心，
祖國啊，心血結成瑪瑙，熱淚凝爲鑽石，我向您雙手奉獻！

附：「一日之赫赫者多矣，千載之赫赫者幾人？爲一日計者，無千載也，決矣！」（文天祥「勉林學士希逸」）

第一一六首

在煌煌星球之上，浩浩海陸之間，
您是閃現在歷史夜空上的雄星，
您是挺勃於世紀荒原上的喬木，
您是玲瓏於歲月冠冕上的鑽石。

五千年，青史燦爛的腳印，跫音如琴，
響向人類榮耀史頁的琥珀色的大黎明。
太陽啊，如一燁燁的大靈，凌萬山昇拔，
臨照您不朽的輝煌，祝福您不朽的青春！

第一一七首

您身壓東西兩洋，手握歐亞兩洲，
一肩挑盡了古今愁，仰首把絕世的苦難一口喝乾，
獨自高臥在半萬年的歲月之上！

而當您揮足跨進青史閃閃的盛夏，啊祖國，
您曾磨亮鋒利的正氣，砍下了富士山的頭，獻給眞理，
而今更揮舉五岳的主峰，把中國的洪鐘撞響！

第一二八首

紫電青霜、衝開血路飛的國魂之劍啊！
我們曾是、給腐霉的龍旗換上嶄新的旭日，
給叛逆以長飆掃葉烈火焚膏的大東征，
給軍閥以破竹式的摧枯拉朽的北伐！
以樵於槍林漁於火海的酣戰，我們縱橫大地；
是血的昇華靈的展放的抗戰，我們曾給倭寇；
而今天，握不朽的歲月，升光輝的旗章，
迎世紀的黎明，我們將有波濤大風的再進軍！

附：「舉之如飛鳥，動之如雷電，發之如風雨；莫當其前，莫當其後，獨出獨入，莫敢當圉。」（管仲句）

第一二九首

我們播種光明於黑暗，播種幸福於災難，
植下迎春花的根苗，在你風雪的荒原，
漫漫長夜，我們播種星月；渾噩時空，我們播種曙色！
祖國啊，播種忠義的典型在您艱辛的歲月，
血的花朵、汗的果粒、淚的籽顆，當遍地魔影，
播向每一國民的方寸之地，是我們得勝有餘的信念！

第一三〇首

豁明睥睥睨天地，舉手足震撼古今，（註）
您鋼鐵的臂腕曾湧生萬國的斧鉞，
帶礪山河的顏面映照著日月的華光，
祖國啊，曠古風雲，憑您張喉一呑吐！
日月像兩輪磨盤，碾磨著萬國興滅，
天地像兩片糕餅，夾雜著戰爭與和平……
任流星帶走了時代，斜陽曬老了青史，

祖國您啊，長是歷盡滄桑的健者！

註：本句數易其稿，歷兩閱月而未定句。曾經三改而擬句為「拔頭髮痛徹天地，搔皮膚癢盡古今。」經秦孝儀先生召見，對詩作嘉勉而指定本句須改，以其趣味有餘而豪壯不足，與篇中諸句不諧也。後經鍾雷先生改為「拔毛髮痛徹天地，舒股肱震動古今。」越數日，我以「股」「古」近音，再易句為「牽毫髮痛關天地，舒腕臂震動古今。」又以腕臂兩字雷同第二遣句，乃改為「豁明睥睥睨天地，舉手足震撼古今。」蓋得自後漢書仲長統造句之啓發，及岳武穆詩句之聯想。前者曰：「逍遙一世之上，睥睨天地之間。」後者曰：「立馬林岡豁戰眸。」用特附誌，謹表對二公教益愛意之鳴謝。

第一三一首

記得那年，許多鐵面凝霜的巨炮的詠歎下，
顫抖的群山，用雙手摟抱著已裂成碎片的邦家，
夜裡，到處是失眠的路，在流亡人的腳下說話……
那年起，我便點亮了拳頭為火把，搖醒了我的槍。
哦，我是輸光了唯一心愛的日月呀，
怎不教我怒拍千山，淚滿天涯……

附：「胸中有誓深似海，肯使神州更陸沉？」（鄭思肖「二礪」）

「亭皐漫漫，興去國之悲，旗鼓洶洶，助從軍之樂。時復江鶯遷樹，隴鴈出雲，夢上京之臺沼，想故山之風月。」（張說「洛州張司馬集序」）

第一三二首

隨從著您生翅的意志，祖國啊，
我的筆跳躍著開始到戰鬥的海原上去狩獵了，
把那如虎的世紀風雲追趕。

我將刀山火海一齊趕進戰鬥的詩句，
喚醒風血雨來詩上投宿，招長劍大旗到詩中俯仰，
祖國啊，我的筆，追著您生翅的意志飛揚！

第一三三首

我血淚的玲瓏液髓，毛骨的錦茵質地，
生命的奇葩潔絜，得自父母，而是
全爲神聖的您而生啊，至愛的祖國！

我笑的漣漪、夢的雲霓、以及
我蹤跡行歌如柳痕煙水的空翠，固來自父母，
而如影之於形、紋之於波、卻繫屬於您啊，至愛的祖國！

第一三四首

我推開耳朵的門扉，解開情緒的鍊條，
將惺忪與夢幻從眼上拭淨，（註）
任那名叫「忠憤」的雄風，使我精神揚波於青史的海。
我用手指彈去心上的積塵，
打掃思想門前的蛛網和雀翎，
讓那喚做「戰鬥」的陽火，焚毀昨日點燃今天。

註：「將睡夢與昏蒙、盲昧，從你眼上拭開！也用眼睛聽我說話，我的聲音對於生而盲者還是一種救治呢！」
（尼采「蘇魯支語錄」）

第一三五首

定雲止水間，種下虎躍龍騰的勇決，
風馳雨驟處，栽培波恬浪靜的慧根，（註）
昏天暗地裏，展示天青日白的志節。

烈火中唱冶煉之歌，怒濤下譜採珠的夢，
深夜裏點照路的燈；祖國啊，在
板蕩乾坤間，做您頂天立地的柱石！

註：「定雲止水中，有鳶飛魚躍的景氣；風狂雨驟處，有波恬浪靜的風光。」（洪應明句）

第一三六首

磨亮詩的鋼劍，砍落邦國心中纍纍成串的夜色。
以鐵喉的壯烈酣歌為時代創口止痛的藥膏。
啊，我揮淚水為晴川，痛洗皇皇輿圖上斑駁的獸跡。

掀靈感的歌風，鼓搧起世紀臉上戰爭的激情，
化血為顏彩絢爛繽紛，描繪一代健兒的聲威壯闊，
啊，我燃怒髮為火把，奮身撞響國讎的黃鐘！

第一三七首

將眼睛的攝機交給鼎沸的陣地，
將耳朵的貝殼交給火海的潮音，
將鐵喉的音符交給激昂的戰曲。

將熱淚交給星光下相對無言的鄉愁，
將汗水交給戰鬥的時空，血花交給勝利的歡笑，
而青春啊，交給烈馬、大刀、浩浩風雲與皎皎日月。

第一三八首

用血的絳紅、靈的華美、生命的顏彩來描繪，
用心的摯烈、意的純誠、情愫的絃絲來彈唱，
用夢的引探、思的醞釀、瀝血的智慧來抒寫，
爲您，爲您，親愛的祖國！

一瓣瓣芬芳的詠歎用以編織我如花的相思，

一縷縷彩色的溫柔用以刺繡我如錦的戀情，
一顆顆渾圓的心意用以釀造我如酒的愛，
給您啊給您，至愛的祖國！

第一三九首

珍藏著您給予我的每一個燦爛的熱吻，
疼惜您賜予的每一枚微笑的甜蜜之星，
舉生命之杯，我乾飲您贈予的淺紫色的愛。

祖國啊！我們點燃歌聲並唱紅了火把指向你的路，
當夜的雙翅隱沒了您的前途。我們拍醒熱血，
搖碎烽火如落花，教時光帶來您歷史的初春！

第一四〇首

請砲彈揮拳，請機群拍翅，請戰船仰泳，
請忠耿的將士集合成隊伍的合訂本，

讓腥風翻閱，讓號角朗誦，讓烽火圈點……
哦，請詩句啓開櫻唇，唱出永恆的頌歌，
請音符脫盡華裳，跳一支裸露的聖曲，
請時代聆聽，請世紀觀賞，我的祖國在戰鬥！

第一四一首

用我們民族老牌子的太陽灼痛他們，
用夜色矇住他們的鼠眼，用烽煙薰黑他們的尾巴，
用我們古老的黃河打成一個套結勒他個半死，
祖國啊，飽他們以您五千年的老拳，那些醜類！

聚萬萬人心頭的壘塊爲衝破敵陣的巨礁，
匯萬萬人滾燙的熱血爲盪平敵壘的怒潮，
集叱咤怒吼長嘯爲捲走敵營的浩浩風飆，
祖國啊，要他們倒下來不能再起，永遠地跡斂聲銷。

第一四二首

慘烈的挫敗，使我戰慄而淚如雨下，
像悲痛的烏雲被雷電焚燬炸碎，
但我知道，深谷旁必有高山，暴雨後定有晴天。

苦難憂患的打擊，使我心膽俱裂，
像犁鋤奔放使田畝土塊鬆碎，
但我知道，破壞是爲了再起，犁墾預期著豐收！

第一四三首

除非死，沒有睡不醒的雄獅，
除非熄，沒有撥不亮的火苗，
除非謊，沒有走不盡的長夜。

是睡獅必醒，是火苗必亮，是長夜必盡，
祖國啊，兵燹處處災禍紛紛，勝利之神便會在那兒崛起，血淚最多野火最烈時，理想的明天開始在那兒微笑。

第一四四首

是駱駝，不怕風沙大；是種子，不怕泥土硬；
是中興的砥柱就不怕狂亂戰爭的激流；
是永生的火焰就無畏長期魔夜的暗黑。

是從千叢的槍林，去向萬里的烽煙，我們
歷盡了沙場試煉、苦難研磨、鐵血考驗，
祖國啊，是眞金所以不怕火，是鬥士所以不怕死！

附：英．惠靈吞：「不勝不止！不死不休！」

第一四五首

是誰敲破一個大蛋黃，驚醒了大地？
哦，是祖國張開了地平線的大口，吐出了朝陽，
特大號的晨風振搖巨翅，拍醒了海，拍醒了東方。

軍旗闊笑著，痛飲千道風霞而不醉，
聽聲聲曉角，劃破了天地的惺忪與蒼茫，
啊啊！看雲天海嶽，映現在我戰劍的臉上。

第一四六首

山眉、水頰、風酒、波綾……
大眼睛的西子湖的微笑呀，
被手搖機音樂的草蟲們翻譯爲言語了……
當清風的裸足踏皺一湖的夏水而來，
祖國啊，我願做你一隻聒絮的蟬，
獨抱楊柳一絡，詠唱風露的舒涼！

第一四七首

曾是，我邀那沙鳥風帆一同痛飲
太湖的三萬六千頃秋意，哦，醉了我，

也醉斜了漁帆成千……

化太湖爲雲水蒼茫的硯池吧，
我要揮動惠山的孤塔做筆，
把江南的秋色寫得飛躍起來！

第一四八首

名湖的媚眼中，秋波無限，
遠山的眉黛上，掛著虹光；
江天露冷，我和楓林一同穿上了紅衫。

流霞鋪平成彩箋千尺，
雁陣揮寫出草字數行；
祖國啊，您的江南天，夕陽在鴉背上熔金。

第一四九首

您悅耳的音韻永漾在我心靈的晴空——
華美歌賦、綺麗詞曲、壯麗的漢賦唐詩，
是秀異靈才，爲貧血的人間留下雋永的韻曲。

您娟美的肖像永懸在我情感的畫廊——
綽約西子、明媚珠江、壯麗的三山五嶽，
是天生麗質，爲這襤褸的世界添色、增光！

第一五〇首

將來，當您能採到成串數不盡的昇平歲月，
則我將是陶潛一個，或是陳摶之身，
歸隱田園，潛向淡泊，只帶著一顆詩心。

我願化身爲清風，在雲樹間蹁躚……
哦，看山僧的缽裏，存著昨宵的明月，
聽白雲的翅上，掛著去年的鐘聲，
祖國啊，我願做一片嵐色，在翠微間蒸潤千年。

第一五一首

橫禿筆爲扁擔，一肩挑盡名山大河，
祖國啊，我是您江南一鐵漢。
採繁星以釀酒，飲銀河以銷憂，
祖國啊，我是您江南一酒徒。
將東半球原野上所有的敵人澆上醬油撒上鹽巴當我的一頓早餐，
祖國啊，我是您江南一壯士！

第一五二首

當我像行雲般流盡我的淚汗走了，
當我像燭火般燃盡我的光熱走了，
請莫爲我驚慟啊，至愛的祖國！
但求得我的汗血滋潤到您的耕地，

但求得我的光熱驅退了您的夜氛，
但求得我生的光輝、死而榮耀、爲了您，我至愛的祖國！

第一五三首

是塵沙構成了星體，是水滴匯成了海，
是纖纖枝葉織就隱蔽天日的森林，
是細碎的砂石聚爲高入雲表的峰嶽。

是一天天連成了年月，是一步步跨逾千里，
是勺勺的花英草色蔚爲無敵的青春，
是滴滴先烈的血汗溉出莊嚴華麗的邦國！

第一五四首

我心靈的海洋爲青史的晨曦輕罩，
我詩想的高峰爲陽光的錦帶縈繞，
我歌音的響雷爲時代的風雲追趕。

啊啊，我詩的脈搏和時代的脈搏一齊跳動，
我詩的呼吸與萬民的呼吸緊緊相連，
我詩的熱血與戰神的熱血一起慷慨地澎湃！

第一五五首

飛吧！我的詩心，飛向那孤寂的曠絕之境，
莫羨那孔雀華翎般的綺思取悅於燈紅酒綠的境界，
要向曠野試煉你的精神，向懸崖創制你的風格！
飛啊！我的詩心，飛向你意志的晴空，那天外之天，
爲鷹之友，爲日之朋，縱橫奔雷之中，袒臥於狂飆之上，
創闢你的昇華之路，用你的征翅如劍！

第一五六首

我的詩心啊，你孤獨了，我殷紅的詩心！
遺此笙簧交作，鶯燕爭鳴，燈燭競輝……

而你獨守純潔的蒼天、汗漫的碧海、身繞著祖國的陽光。

我的詩心啊，你孤獨了，我殷紅的詩心！
當笙簧止歇，鶯燕聲休，燈燭燼滅，空寂一片……
你保守著蒼天淨白、碧海遼淼、獨醉於祖國的陽光！

第一五七首

在您神聖手勢的揮動下，祖國啊，
三千年專制長夜，二百年魔影妖氛，
民主以一槍破曉。

在您莊嚴眼神的焚灼中，祖國啊，
九十個隆冬噩夢，三千界冰封雪蔚，
春雷以一響炸光！

附：「嚴春秋夷夏之防，抱冠帶淪沉之痛；孤軍一旅，修戈矛於同仇，下筆千言，傳楮墨於來世。」（「中國同盟會宣言」）

第一五八首

一點詩魂，雄表五千年的國格，
三寸狼毫，深藏十億人的心胸，
祖國啊，讓詩人飲盡青史的朝暾，餐吞旭日。

青膽一粒，壓盡百代豪傑，
寒霜三尺，映現帶礪山河，
祖國啊，看壯士震動四海，橫掃那浩浩九州！

第一五九首

驅雲霓爲霖雨，灑洗天壤，
縱旭日離掌心，照徹四海，
放風雷出袖口，震醒九州！

伸崑崙的五指，握歷史的長線——
在世界的屋脊上放卿雲的風箏，

向古色古香的秋海棠葉啊，用愛吻下不朽的印記！

第一六〇首

星子不因只像螢火而怯於出現，(註)
雨點不因僅爲涓滴而羞於降落，
草萊不因微於喬木而休止萌動與繁衍……

看啊，那皎皎河漢，那滂沱大雨，那莽原千千里，
是微粒的聚結，是涓滴的匯合，是纖介的編織，
祖國啊，我勇於做你的長城之磚，我勇於生！

註：印度詩人泰戈爾「漂鳥集」第四十八首詩——僅此一句。

第一六一首

在雪中與梅同瘦，在月中與竹同青，
在霜中與菊同性，污泥中與蓮同操守，
在風雨、在無邊風雨中與德禽同醒覺。

在寂處與蘭同幽，在火中與檀同烈，
在朝曦中與葵同信仰，朔風裏與松柏同志節，
在長夜、在漫漫長夜與星月同心胸！

第一六二首

您的聖賢書、才子畫、雋詩、逸文，
皆於有意境中，闢嶄新宇宙；
祖國啊，我用以譜成歌詠。
您的江湖月、遼天雲、星空、旭日，
都在無字句處，寫大好文章；
祖國啊，我用以釀造了詩魂！

第一六三首

石可破而不能奪堅，丹可磨而不可奪赤，①
劍可斷而不能摧鋒，箏可碎而不可易調，

昂藏肝膽，崢嶸志節，忠愛情操永不渝。

海枯石爛，而求報之願不移，②

天荒地老，而壯心千載猶作，③

祖國啊，是你恩情千鈞重，使我忠孝一心生！④

註①「石可破而不可奪堅，丹可磨而不可奪赤。」（文天祥句）

②「海可枯，石可爛，報國之心，決不可移！」（鄭成功語）

③「壯心埋不朽，千載猶可作。」本句脫由此。

④宋・蘇易簡在翰林，太宗（趙光義）一日召對，賜酒甚歡暢，曰：「君臣千載遇。」易簡應聲曰：「忠孝一心生。」太宗大悅，以所御金器，盡席賜之。見「掇遺」。本句源此。

第一六四首

灑掃錦繡山河，整理成你的庭院，

刷新蒙塵日月，裝潢做你的壁燈，①

合金了漢滿蒙回藏，化中國為一人！

則貪、殘、奸、巧，散為落荒奔竄的盜跖，②

而孝、悌、忠、信，聚爲骨肉不離的親情；
把人間造成天堂，教天堂永在人間！

註①宋太宗於海內一統後，御試進士，以「六合爲家」爲賦題，時進士王世則遽進賦曰：「構盡乾坤，作我之龍樓鳳閣；開窮日月，爲君之玉戶金門。」太宗覽之大悅，遂擢爲第一人。（「青箱雜記」）。本句源此變化而成。

②「一切貪殘奸巧，還償果報斤斤。」（六歲隨先慈恭誦「關聖帝君降筆眞經」，今憶及，中有此句。）

第一六五首

斷烈虎的頭頸，斬頑龍的腰肢，
教百萬魔兵伏地授首在血染的沙場。
揪波濤的長髮，扭風暴的股肱，
使敵艦搥胸吐血於怒海！
斬妖孽於天隅，喚旭日上晴空，
射殺鷹鷲，蹴踢風雷，
揮彈道如虹，鞭打敵機使其做飲恨的毀墜。
祖國啊！天、地、海洋全都知道，

凱旋的拱門，來自我們的力與血！

第一六六首

艱困的征伐，我們咬碎的牙，和血而吞，①
難耐的烈吼，激起千年大地的風雷，
我們負傷的血，遍染青史沙原使爲湧現不凋的玫瑰。

我們的毛髮綻放出戰史的牡丹，
汗珠凝爲國魂的鑽石，血肉成爲忠貞的瑪瑙和琥珀，②
祖國啊！我們用血、汗、淚的三重奏，演出你生命的樂章。

註①曾國藩：「打落牙齒和血吞。」
②「忠臣肝膽塗地之秋，烈士立功之會也，可不勗哉！」（陳琳「爲袁紹檄豫州」）

第一六七首

以熾烈的顏彩燃騰爲壯麗的火炬，
將暴跳的音符唱成憤怒的彈粒，

餐翠

餐翠腹可飽，
飲綠身須輕。

宋・楊萬里句寫意

用鏗鏘的詞彙錘鍊爲閃光的劍器。
磨意志的大刀使它完成殺敵致果的鋒銳，
投情感的鏢槍指向血火交織的時代，
啊！把風雨套上韁繩，恣意馳騁向光華亮麗的明天！

第一六八首

我熱淚的暖流濯洗著忠愛的詩弦，
觸動了駘蕩生命的旋律；
我汗水的噴泉灑淋上藝術的晴空，
幻化成千粒寫照人性的星子；
我心頭的思潮衝捲向文學的海洋，
推送著詩魂性靈的歸舟。

第一六九首

向疾風問勁草，向激流問砥柱，

向長飆烈雨問根基與棟樑，
向烈火重錘冷水，問鐵器剛健幾許？

向秋霜問菊，向風雪問梅，
向盤根錯節問奔放的利斧，
向顛沛橫逆血痕淚影，問一寸眞心！

第一七〇首

不要想做未經風雨的大樹，
不要想做不經烈火的純金，
海上來的征鴻，風濤的險境嵌印在深心！

不要盼望採到無刺的玫瑰，
不要盼望沒有耕耘的豐年，
忍受無邊黑暗的孤星，含淚閃爍到天明！

第一七一首

霜降花落淚，風吹水皺眉，
梧桐斷臂，楓林碎衣，草葉枯萎，
卻有菊花穿戴金盔甲，大戰秋霜。
祖國啊，這時候，您要知道我的心！

當青山白髮，大地縞素，
太陽收斂了熱，河流凍結了歌，
卻有紅梅高擎火把，焚毀風雪。
祖國啊，這時候，您要知道我的情！

註：明太祖朱元璋有詠菊詩：「百花發時我不發，我欲發時都嚇煞：待與秋風戰一場，渾身披著黃金甲。」——本詩由此轉化而來。

第一七二首

是火種在荒草而燃遍了莽莽遼野，
是微風在天末而掀躍起浩烈雄飆，
是第一瓣光波而灑出永恆大地的黎明，
是第一聲鳴雞劃破長夜以引動了洋洋的萬籟。

啊啊！是悄靜的意志激起行爲的風雷，
是潛行的思想改造了廣大的世境，
是無量沉默的血汗，救贖了沉淪的舊邦，
是精衛塡海的恆毅、杜鵑啼血的精誠、
綻放爲開國的花朵，爭結爲富強的果實！

第一七三首

我們是春天冒著雨箭的鋒鏑來，
祖國啊！我們是鋼冒著熊熊的炭火來，
是臘梅冒著如掌的急雪來，
是雞聲劃破了長夜的風雨來……

是帆逆著風急駛來，是鷹隼衝著陣雨來，
是菊叢侵犯著無盡的天霜來，
啊祖國！當您爲寒流蹂躪，當您被冰雪侵凌，
當您眼中有淚、歌中有血、當您心上有仇恨、面前有嶄新的勁敵。

第一七四首

用鐵尺般的行列，量萬山的胸圍，
用如潮的號音，滌洗大地的憂傷，
用鐵砲的笑渦佩掛起新世紀的希望！
用步音的雷霆震動邦國，覺醒地球，
用烽火災劫擦亮母親大地的年齡，
用奇峰絕崖的手勢扶擎起心中的旭日與綺霞的火炬，
臨照大千，使萬彙永無黑暗！

第一七五首

長天旭日下，理想明如劍，遠景燦如虹，
我們的如虎豪歌，曾使莽野風生，禿枝花出，
氣壯了巍巍千山，綰帶了萬里江流……
躍動在飆風莽原的，是我們的呼嘯在走石飛沙，

而我們升起心頭旭日，播國魂的晨風萬里，
哦，還有誰不知道，我們是寶劍的伴侶、
我們是火把的兄弟、我們是日月星辰的友人！

第一七六首

我們呼吸如狂飆之吞吐，
我們眼光如炬色之瞭朗，
播揚淵海、高潮迭起、紅浪湧生是我們的熱血！
我們的心跳是名將的鼙鼓，
我們的才筆是時代的名醫，（註）
我們縱橫的劍器是虹之友、風之鄰、霹靂之盟！

註：「大筆銘勳壓海涯。」（趙抃「聞嶺外寇梗」）
附：「吾儕雖老且窮，而道理貫心肝，忠義塡骨髓，直須談笑於生死之際。」（蘇軾「與李公擇」）

第一七七首

我要回到巴顏喀喇山，抓起長江黃河的尾巴，用力一抖，
讓江河中同胞的血淚，歸向大海；
我要生吞青史的毒蛇，消此滿腔悲憤，
然後在山海關的藍天下，嘯一隻長征的歌！

將古老的黃河打一個結，勒死大地的夢魘，
然後用錦繡的秋海棠葉，放歷史的風爭；
在九天長虹的竿上，晾一晾我被熱淚打濕的中國歌聲。

第一七八首

千點都城、百代繁華鋪眼底，
八表風雷、萬里河山一握中，
你吐氣成雲，炯眼如電，胸懷落落千萬劫。
百國青史一如小溪，奔竄過你的腳下，
戰伐如野雲幻化，興亡隨日月跳丸……
唯你松檜英姿，風標不朽，獨撫曠古的詩弦！

第一七九首

我諦視你大漠金色的封面，
駝群綠洲，野帳篝火間有簫聲明月，
儍然如見鑿空萬里的先人創業的血瓣、飄聚成堆。

而掀開你四海的扉頁，在白麗的浪花聲中，
精讀你四千島嶼如詩句玲瓏，
萬帆奔駛，風濤無邊，看你子民之水手長征著歲月的艱深。

第一八〇首

你將東方大港，縫成襟前的鈕扣，
你將無敵艦隊，繡上海洋的裙邊，
長江是你腰帶，黑水是你髮結，長城是你的項鍊……

你伸崑崙爲手，緊抓九州天險，
你揚四海的浪，掛向四千島嶼的鬢邊，

你的歌聲擲向太空又從喜馬拉雅的雪峰滑下，
化爲青史的晨光與人類的文明！

第一八一首

煌煌日月，是你寫入九霄的命題，
耿耿星河，是你等身著作的一頁，
而呵氣爲無量薰風，揮汗成蒼生霖雨，出言成桃李芳春……
漢賦唐詩宋詞元曲，是你唇邊的幾瓣笑意，
塞外軍聲、可汗馬隊、大明艦船，是你臉上的一片莊嚴，
啊啊！你的武功文治、狂搖地理、震撼天文、石破天驚！

附：德哲歌德談論我國：「覺得中國人和我們類似，不過中國人顯得更澄明、清純和文雅。」又說及中國文學：「中國小說的主題都是講理義道德的，由於這種嚴肅的節制，中國文化才能維持幾千年，中國民族才能繼續存在。」（歌德讚揚中國，請讀艾克爾曼著「歌德對話錄」即知。）

又，新嘉坡總理李光耀，於六十三年夏，曾在對當地學生的一次演說中，强調學習中文的重要。「海外中華」的新嘉坡，過去長受英國統治，李光耀擺脫了殖民地政治之後，進而擺脫殖民地文化，他念念不忘要建立一個以中華傳統文化爲基礎的國家。他特別稱中文爲「母語」，認爲學習中文，是爲了「

在有秩序的社會中，認識倫理、工作與紀律的價值」。

他提出這個崇高的目標，是要新嘉坡人民，不僅只有中華的體貌，更要有中華文化的心智。

第一八二首

富貴功名，總是三更枕上蝶，

忠義肝膽，歷經焚熬爐中鐵；（註）

壯志雲間鷙，丹心名山石，熱血潮千疊！

易水波、首陽蕨、崖山淚、宮牆血、

北海雁影西台雲樹東征南討千路唯雲月；

爭見虛名浮雲黃金糞土奈不得忠愛情懷長鼎沸！

註：「肝腸百鍊爐間鐵，富貴三更枕上蝶。」（元曲）

第一八三首

放人物入酒壺，斟酌古今忠佞，

呼雲樹入煙斗，狂焚天地詩魂，

驅風雷入筆端，重描大千萬彙。
化寸衷爲洪爐，冶鑄鐵血時代，
培肝膽爲靈芝，療救此哀哀民瘼，
燃熱忱爲火炬，耀徹浩浩萬邦！

附：「天地爲鑪兮，造化爲工；陰陽爲炭兮，萬物爲銅。」（賈誼句）
「以天地爲一朝，萬期爲須臾，日月爲扃牖，八荒爲庭衢；行無轍跡，居無室廬，幕天席地，縱意所如。」（劉伶句）

第一八四首

以虹霓爲釣絲，新月爲鉤，
天下無義丈夫爲餌；
昔日啊，在青史的浪濤噴薄中，
有一海上的釣鰲客。

而今天，挺身在災難的大野，
是誰？高擎貞骨，撐穩祖宗日月，

頻搖鐵腕，磨洗浩蕩乾坤。
啊，是我們火種的毅魄、蠟燭的精神！

註：詩人李白，志在千古，非聖賢之書不讀，恥爲鄭、衛之作。曾於唐開元中謁見宰相，封上一版，上題「海上釣鰲客李白」。宰相問曰：「先生臨滄海，釣巨鰲，以何物爲鉤線？」答曰：「以風浪逸其情，乾坤縱其志，虹霓爲絲，明月爲鉤。」宰相又問：「何物爲餌？」答曰：「以天下無義丈夫爲餌。」宰相聞之悚然。（見「摭遺」）

第一八五首

災劫的時鐘報響兵燹的凶辰，
魔夜的妖手攀折盡陽光的枝條，
燭火光黯，夜鶯揮淚，星子掩泣……

第一八六首

祖國啊，請用忍耐注入多刺的時刻，
因爲，縱使黑暗濃得揮軍斧劈砍不開，
你也決不會歉收地上的和風和天心的甘露！

你可聽到歲月拍翅奮飛的聲音？
把殘破的希望縫補，把失落的信念撿起，
而緊繫日子的足翼，然後催它遙征。

從塵灰中，提升你如虹的信心啊，
在森黑的路上，燃心靈爲燭炬，揮健足如車輪啊，
鞭意志的烈馬穿過風雨的荒原，扶旭日昇華！

第一八七首

振開苦鬥的翅翼催革命迅疾如飛啊，
我們在災難的鐵砧上錘鍊英雄人物，
請最烈的火最重的鎚最冷的水交出革命壯士！

我們要最銳的斧開山，最好的錨鎮壓風暴的海，
我們要最朗健的生命最高海拔的智慧之群，
挺立、迎向、並征服那痛苦而具有雄力的歲月！

第一八八首

正像琴絃的靜河潛藏著音樂的魚群、
純白的畫布上匿居著隱形的美術、
歇憩的筆尖孕育著雋傑的詩句，

要那靈秀之境的具體顯示，就必須
大師震撼的彈奏、妙手縱橫的描繪、天才恣意的揮灑……
祖國啊！你的戰鬥含著勝利，你的征伐含著凱歌，
你訇然澎湃的歌音正徵候著崇高的美靜之境！

第一八九首

頑石中隱藏著稀世良玉，
寒灰裏埋寓著燎原星火，
禿枝上潛伏著無敵的春意。

疾厲的風雨，隱示著晴空萬里，

殷濃的血淚，伏蘊著幸福花果，
玄默的長夜啊，有曙色耀亮的腳步向我們輕移！

第一九〇首

珠江之濱，黃河之岸，
長劍揮向歲月的流變，大業鼎沸，
九萬里河山風雨，爭喧袖底，
三千年專制日月，墜落襟前。

揮大旗拂淨遼空，指顧間，九州同，
是怒潮聲高、自由雄醒的奮搏，
驚聖賢心，喪梟雄膽，落流寇頭……
那時節，中原有十萬榴火，正捲地焚燃。

第一九一首

舉鏗鏘之歌，扔向時代的鐵砧，

我們掞舒九天的疾電，揮動大地的奔雷，
將橫天的風雨錘鍊成一根晴朗的虹彩。
投熾熱的信心於世紀洪爐，
我們掀搧萬里長飆，紛擲雄快的霹靂，
將黝黑沉鬱的時空炸出萬朵智慧的火花！

第一九二首

我們舉九州爲杯盞，啜青史的綠茶，
星霞如沫，虹霓如泡，風雨如煙；
昆陽之戰、淝水之役、郾城之功是幾片好茶葉。

第一九三首

我們裁火爲衣，剪水製巾，點雪成燈，吐言爲路，
煮山充饑，半個心釜熬爛了五嶽，
挽海爲飲，千頃雲濤沸騰著肝腸！

慷慨地敞開胸衣，我們向方寸之地，
播撒日月星辰爲青史的籽種，
迎向世界，我們綻放了五千年文化的奇葩。

雄笑凝成劍，歌聲飄成旗，
我們要以山群的巨齒咬斷蒼涼的歲月，
我們要以崑崙之素指，含笑刺繡如虹的華年。

第一九四首

在月鉤上掛弓，向銀河裡洗劍，
用長長的馬隊打一個活結，繫縛了萬國，
快劍斬狂飆，長箭射霹靂！

釀四海爲春酒，裂九州以佐食，
驅千邦入杯盤，投河山於齒頰，
酒渴便痛飲雲海，更生吞一輪明月。

註：「策馬上懸崖，彎弓射胡月。」（石達開「入川題壁」詩）

第一九五首

我們衣東海之霞，飲九州之山，
風雷入杯盤，大塊供一餐；
狂飲著五千年，一口乾掉百代的興亡！

我們洗馬於溶溶血海，磨劍在崢嶸的屍山，
且鍛鍊出梗天礙日的拳臂，揮退苦難；
一步邁成一個凱門，把天下闖蕩！

第一九六首

我們謳歌使星辰紛飛，
吐氣爲長虹一彎；
我們是青史的歌者啊，唱平了銀河百尺的怒浪。

我們的歌，凋盡了千千瓣的夜色，
而喚曙光抽芽、含苞的旭日開放。

我們的歌啊，使千水競奔、群峰爭立、萬國醒轉！

附：「功高振古，事絕稱言，億兆驩呼，天下幸甚！」（元稹「賀裴相公破淮西啓」）

第一九七首

是誰？在我們領海中洗他粗糙的血手，
到我們領空來，採去水晶的星辰；
捕了蛺蝶、折了花朵、使我們的原野擁春天而哭泣。

是誰？盜竊我們的風雨，偷去我們的藍天，
又用狂放的馬蹄激濺起大地的血泥；
呀，來啊！我們憤懣的劍、想飛的彈粒、飄響的旗！

第一九八首

用刺刀串起我們馴良星月的，是誰？
誰使我們的天倫顛沛、六親的笑渦凋落成堆，
還手提我們兄弟的頭，笑飲我們姊妹的淚。

我們泣血以長嘯，我們的拳頭在半空中奮暴如雷，
鐵刷刷的奇仇，漲破了我們的心肺，
我們頓足而起、拔劍而追、誓梟其賊首而歸！
附：鄭成功說：「我不進攻，彼豈肯忘我？」

第一九九首

啜月飲風，啖火餐霞，
我們曾橫過青史，歷大漠窮秋，踏碎天山凍石，
如今，放機群，伴日月呼吸於遼空，
駕長車，挾風雷掀騰於大地。

且釘穩新月的鉤，掛起李世民的雕弓，
挽銀河飛沙，埋封忽必烈的劍戟，
向新歲月的沙原搏擊肆虐的鷹隼，
看我們化身爲雷火、爲旋風、爲霹靂……
附：「破百萬之陣，摧九虎之軍，雷震四海，席捲天下！」（馮衍「計說鮑永」）

第二〇〇首

每一粒暴雨中蘊藏著我們對晴天的預言，
每一片夜色裏包裹著我們對朝陽的許諾，
每一顆淚蕾裏萌滋著我們對笑渦的感知。

從每一寸寒灰、我們堅忍的搧醒火苗要燎起滔天的烈焰，
從每一聲伐斧我們含淚注視根苗祝福行將再生的森林，
從每一寸冰雪我們將看到春天的腳印，
每片冰風都爲我們預傳來春天的跫音！

第二〇一首

沐一次雪水，綠一個草原，
經一番風雨，亮一天繁星，
哦，看片片魔夜的龜裂痕中，
已在萌爆燦爛的雞聲而引動了千重曙色。

遭一番烈火，成一批青鋼，
來一天霜雪，爆一樹紅梅，
哦，看寸寸苦難的灰燼堆裡，
終會拍翅飛起我們鳳凰新生的歌聲！

第二〇二首

我們一手握盡人類史中的光耀，
而在歲月之海，揚奮凌空振翅的心顆。
陶鎔天地，揮灑日月，辟易風雷，
我們只擦亮幾根音符，便點燃起大地永恒的曙色。

伸崑崙的五指，控中原千山的動脈，
舒黃河的壯臂，推出大海萬里的雄疆，
而創作半萬載的燁燦史詩，我們一字寫下一枚星斗，
而邁上五千年的文明長路，我們一步踢出一個太陽！

第二〇三首

今天，我們煉風雪爲蓓蕾，點冰河成烈焰，
淚洗子夜爲東方白，血滴大地成盞盞燈，
我們以嶽峙淵渟的神采，鎮壓那魚龍百變風雨倒飛的魔境。

明天，我們向滔天噩浪之中，打撈淪沉的日月，
我們在捲地的干戈聲裡，拯救既墮的乾坤，
啊，手提日月，腳踢風雨，氣吞雷霆，用歌聲震撼中原！

——卷　終——

卷十

薪膽詩抄

四十三歲作品

民國六十四年獲文藝金像獎徵文比賽新詩第一名

連載於「臺灣新生報」

從薪膽上躍起 ·勾踐·

寡人聞古賢君，不患其眾之不足，
而患其志行之少恥也。（勾踐）

不以眼睛咬人，
不以牙齒看人，
不把仇恨掛臉上，
並且，將一個比會稽山還要大的恥辱，
一口吞嚥到深心，
等著有一天……

洗馬吧，也洗著飛馳的日月，
守墓吧，守著爬滿青苔的生活，
用絨一般的奴笑，
軟化夫差鋼一般的心胸，
在夜裡，回到黑暗的石洞，瘦長地躺著，

躺成一柄苦待飛躍的復仇劍。

故國重歸後，
將日子裝進苦膽，把山河鋪成薪柴，（註一）
將沼吳的計畫在腕下細細安排，
化「文種七術」爲中興的雄風萬里啊，
吹散了黃池會，震撼了姑蘇台。

久蟄的民心積怒爲奮天的焦雷，
終成一聲爆響，把吳宮摧。
恥辱炸自心底，仇恨掛滿了腮，
你狂呼「會稽」啊！一口吐出心中壘塊，（註二）
終於等著了那一天——
長劍的鋒鋩自磨鍊而出，
梅花的香息向苦寒中來！

註一：勾踐念復吳讎，非一日也，乃苦身勞心，自勵不息於晝夜。目倦則攻之以蓼使痛而不寐，足寒則浸之以水使麻木而不省。冬常抱冰，夏還握火，鍛志如鐵，礪心如劍，懸膽臥薪，出入輒嘗，中夜潸泣，痛哭搥胸，帶淚長嘯，以示不忘。

註二：國語載：「敗吳於囿，又敗之於沒，又郊敗之，遂滅吳。」史載，最後一役勾踐由東門攻城，以「會稽」二字為口號，用為鼓勵軍心。蓋會稽為當年勾踐五千殘卒被困之山，做城下盟而為奇恥大辱之地也。

奔突的火牛

．田單．

可往矣，宗廟亡矣，亡日尙矣，
歸於何黨矣！（田單）

樂毅手掣五國勁旅，（註一）
便一劍插穿了齊人七十多個城腹，
痙攣的大地啊，
張顎，含淚，痛飲著鮮血與悲歌……

而你的名字在落日與晚霞裡，
升成一顆嶄新的將星，（註二）
你的丹心，騰向黯淡的高空，
耿射出
悲憤而智慧的光芒。

莒州和即墨，在復仇者的怒火中，
被錘鍊成一雙復國的雌雄劍，
啊，劍，呼喚著英雄，
英雄，呼喚著明天！

土地不再打鼾，
而在夜裡警醒；
人們不再做夢，
而在夜裡枕戈，
戰馬長生，干戈不老，
腔中沸血，永世奔流，
在失去的土地沒有收回的時候。

而一朝，
火牛是你許多烈性的字粒，
在變色的大地上
你用劍寫了一篇戰鬥的詩。

唱啊，你以熊熊的音符

將一冬的沮喪熔去，（註三）

春風，把七十多個城池笑回，

笑回你勝利的劍尖。

註一：五國聯師，即燕、韓、趙、魏、秦，由燕將樂毅率之，於濟西一戰而敗齊國，連下七十餘城。

註二：田單原一市椽，以退卻有計，顯露才慧，眾以其知兵而共推舉爲守將，遂得舉謀而奏大功。

註三：魯仲子曰：「將軍昔在莒與即墨，坐則織蕢，立則仗鍤，爲士卒倡，曰：『可往矣，宗廟亡矣，亡日尚矣，歸於何黨矣！』當此之時，將軍有死之心，士卒無生之氣，聞子言，莫不揮涕奮臂而欲戰，此所以破燕也……。」

又，另有詠田單甚稱妥切之詩作一首，謹附之，詩曰：「預將車轄鐵籠堅，激勵遺民抗北燕。四面兵戈存二邑，一身版鍤守三年。五千壯士追牛後，七十名城復馬前。縱間頓令昌國去，居然赤手竟回天。」（見鄭烈著「歷代人物評詠」）

峰谷

危峰入鳥道

深谷寫猿聲

唐・鄭世翼句寫意

易水雄風 ·荊軻·

風蕭蕭兮易水寒，
壯士一去兮不復還！（荊軻）

怒拍千山，
悲歌易水，
在長虹貫日的時節（註一）
你鷹揚而去，
拖一天秋色與滿懷孤憤，
凌越萬山，迤邐千城，（註二）
似一噴光而逝于青史長空的流星。

要嬴政的頭墜成強秦的落日，
要暴君的血蔚為燕國的朝霞，
喚醒匕首奮邁為六國的雄星，（註三）

大好頭顱，便做計時的爆彈。（註四）

追啊！以天鷹搏狡兔的豪情，
在你精神翎翅的奔掠下，
秦王繞著殿柱急急要走盡他的千山萬水，（註五）
追啊！去袖君王一時竟成歷史荒原的脫兔，
而你的緊追不放，已贏得
二千年來無數熱烈的掌聲。

繼你而起的是博浪錐，
是楚三戶，
是大澤的龍蛇爭攘著；
一時竟將朗健的秦國連同他的萬里長城
咬成無數碎片……

引吭吧壯士，
高漸離在擊筑後，還有筑擊！（註六）
你的高歌抗懷，盡低了天文斗宿，

你入秦的猛氣，曾引得山河驚心。

易水寒波，怎敵得住你一腔恒久的沸血啊，

壯士去不還，卻向青史永駐！

註一：史載：「荊軻入秦，長虹爲之貫日。」陽縉「賦得荊軻」云：「長虹貫白日，易水忽寒風。」

註二：陶潛詠荊軻詩有句：「登車何所顧，飛蓋入秦庭，凌厲越萬里，逶迤過千城……」

註三：燕太子丹曾致太傅麴武書，有句云：「一劍之任，可當百萬之師，須臾之間，可解丹萬世之恥。」麴武報燕太子書有句：「臣聞快於意者虧於行，甘於心者傷於性……私以爲智者不冀僥倖以要功，明者不苟從志以順心。事必成然後舉，身必安而後行，故發無失舉之尤，動無蹉跌之媿也。太子貴匹夫之勇，信一劍之任而欲望功，臣以爲疏。臣願合縱於楚，並勢於趙，連橫於韓魏，然後圖秦，秦可破也。」

註四：指秦王痛恨的樊於期將軍之函封首級，雖然，冤枉英雄頭也。元代何景明「易水行」句云：「燕丹寡謀當滅身，田光自刎何足云，惜哉枉殺樊將軍。」人或謂爲「三語千古斷案」。

註五：李東陽「易水行」句云：「督亢圖窮見寶刀，秦王繞殿嘑且逃，力脫虎口爭秋毫。」

註六：「擊筑」者云，指易水離歌者所爲。「筑擊」者，則爲高漸離日後之以筑擿秦王也。

風雪中的牧者

·蘇武·

屈節辱命，雖生，
何面目以歸漢？（蘇武）

你化節杖爲北海虬龍——
鼓舞十九年祁寒歲月，
飲天涯風飆凌厲，
呑沙海落日殷紅。

大漠長夜，亮氣節爲長明之燈，
黯盡銀河十萬星斗……
將故國眷懷，化做五言詩句題上胡天冷月，（註一）
含淚酬唱天邊雁陣。
更以耿耿孤憤，煉漫天風雪爲白色烈焰，
自煮一腔忠貞沸血，讓煙焰騰昇爲
八月胡天冰空的莽雲，
自表氣節的崢嶸。

八千里外，一寸丹心，煉成鐵石，
十九年後，披白髮以歸來，(註二)
請天邊雁鳥，啣走胡天冷月，
任隴上牛羊，盡化塞草寒雲，(註三)
老臣歸來，高功威漢室，
舉英名以壓匈奴，照汗青。
拍拍衣上胡塵，
每粒落地塵埃土，都還存著
齧雪餐氈，採果掘鼠的(註四)
風霜彌厲艱危不屈的身影。

註一：五言詩爲蘇武所創。許南英有詠「蘇屬國」詩句：「風騷獨創五言體，冰雪能過十九春。」

註二：句意脫自鮑桂星詠蘇武詩句：「八千里外心如石，十九年歸髮似銀。」

註三：唐溫庭筠有蘇武廟詩，原句爲「雲邊雁斷胡天月，隴上羊歸塞草煙。」本句有「牛羊」，稽自蘇武傳：「陵惡自賜武，使其妻賜武牛羊數十頭。」又：「丁令盜武牛羊，武復窮厄。」

註四：漢書：「單于益欲降之，迺幽武，置大窖中，絕其飲食。天雨雪，武臥齧雪，與旃毛並咽之，數日不死，匈奴以爲神，乃徙武北海上無人處，使牧羝，羝乳乃得歸。」又，武既至海上，廩食不至，掘野鼠去草實而食之。仗漢節牧羊，臥起操持，節旄盡落。

域外雷奮．班超．

以夷狄攻夷狄，計之善者也⋯⋯

兵不可費中國。（班超）

恥於揮那筆的牧鞭，

趕文字的羊群在案牘的草原，

恥於在水硯的湖畔做一個吟者，

陪伴紋身的詩句⋯⋯

於是，你捨筆硯而就戈矛，

捐坐椅而跨駿馬，

搖響青春的壯歌去做西域的奮雷，

讓生命掀騰向憤怒的沙草的海，

走進一生偉業的燦爛光華。

你揮健足以鑿空千里，

用銳利的歌聲砍碎沙草的寂寞，
你用呼吸溶化異地的暮雲，
怒眼點亮域外的盞盞星辰。

叱喝疏勒的大風，驚散龜茲的星群，
仰首豪飲于闐新月的一彎苦笑，
拳擊鄯善國皺眉的太陽，
長劍揮落焉耆王廣的首級，
教西域五十餘國俯跪仰飲盡
浩蕩的大漢雄風。

騎跨天涯萬晝夜，
光陰染髮皓如雪，
而丹心仍紅似硃砂，
啊啊，英雄！
水寒草苦，沙黃草白，月黑星隕，風雷豹變，
正做了你煌煌壯志的試金石，
成全了你千古的英名。

附記：鄭烈著歷代人物評詠，寫班超詩云：

投筆從戎萬里征，誰知猶是一書生。
西踰葱嶺掃儺恥，北制龍庭仗重輕。
遠略張騫同卓帶，奇功馬援共崢嶸。
威行五十餘邦遍，有志由來事竟成。

又，清鮑桂星詠班超詩：

介子張侯何有哉？丈夫投筆莫徘徊！
九千里涉龍沙去，三十人隨燕頷來。
有妹能文眞快事，生兒繼武亦邊才。
玉關皓首生還日，多少英雄泣草萊。

武聖‧關羽‧

直心直受眞福，巧計巧來禍因，
有過昭如日月，無私天地同群。（關聖帝君降筆眞經）

將赤兔馬驅馳成
　動地的雷震。
將偃月刀，橫成
　映日的冰河。
你的形象是
人間大地上激盪的天文。

鐵、血、汗、配合道義
架構成你的生命景觀。
你靜，你動，
你是一種江河，迎長風澎湃成
　青史千秋的氣勢，

你是一種山脈，在天地間
　巍峨成生命長青的走向。

挖不完忠義的礦層，
　深藏在你的胸際。
那名利權力的巨秤
　永稱不起你人格的重量。

啊，英雄！
彌地刀兵鋒刃，塑你成
　世人展拜的神靈。
三國烽火，點亮你爲
青史不息的光耀！

武聖千秋

丹鳳眼，臥蠶眉，捋長髯，騎赤兔馬，揮青龍偃月刀，過五關，斬六將，義薄雲天，威震華夏，萬古勳名垂竹帛，千秋烈勇壯山河，與悠悠乾坤共老，同昭昭日月爭光，爲天地留下永恆的浩氣，爲萬世鑄造忠義的典型——啊，俎豆千秋，武聖關羽！

「自古英雄難作聖，從來臣將幾封君？」只緣你二十歲時便立下了「扶紅日、照人心」的大志，二十一歲便追隨劉備起兵討伐黃巾賊，秉其「日月精忠，乾坤大節，天崩我崩，地裂我裂」的壯懷遠志，二十餘年甲不離身，馬不停蹄，夜無穩睡三更，日不飽餐一頓，「面赤心尤赤，鬚長義更長」，秉持著萬人敵的本領，創下一代的事功，完成了一生的義烈典型。

誰人不知「桃園結義」的故事？那是播太陽的種籽，爆一代光華的火與劍的同心結。以生命的烈焰，溶冰凍的歲月，煉丹心爲色石，補亂世的天空。是生死不渝的如海的深誓，是萬世共仰的肝膽的照映。

誰人不知「刮骨療毒」的故事？當襄江的大水淹滅了一代梟雄的英名，你活捉了魏將于禁，乘勝揮軍，直指樊城。是誰一箭射中了太陽的左臂？天體爲之傾斜，大地爲之震顫，當你墮馬時，江山也動搖了。而華陀入刀於英雄骨，鮮血湧落成不凋花，右手與馬良下棋，猶可聞到你推山移嶽的聲音……。

誰人不知「千里尋兄」的故事？以裂眦的焚夜的怒火，燒乾滿眶熱淚，以排天的山嶽的巨齒，咬斷苦難的呻吟。不爲封侯金印，礙住道義的路；不同幽深的溫柔鄉，葬埋一代的英雄骨。封金掛印，單刀匹馬，保嫂尋兄，歷經過五關斬六將的艱苦行程，耿耿眞心，永映天上星辰。

誰人不知「單刀赴會」的故事？當東吳爲索荊州，魯肅屯兵陸口，邀你赴會。本想在席間將你折服，否則殺你。而英雄啊！你以冠三軍的神勇，挾單刀如霹靂而往；你以震華夏的雄威，捧丹心如明月而還。

啊！英雄！肉身如彩雲琉璃，鮮花明月，而丹心一如天山赤日，萬古耿光照人塵。「匹馬斬顏良，河北英雄齊喪膽，單刀會魯肅，江南名士盡低頭。」

正直光明不屈，死生順逆，全憑一片眞心——你的肝膽，向人性的荒原呈現永恆的異采，你的精神生命，在兩造間展示無限的光明。「千江有水千江月，萬里無雲萬里天」，你千秋的正氣，向浩浩人寰，轉化成永恆的詩魂。

青史上的神人
·諸葛亮·

淡泊以明志，
寧靜以致遠。（諸葛亮）

亂世的風聲，
揉皺了南陽的月色千里，
劉備的馬蹄音叩開你的心扉，
你年輕如花的生命，便迎向
奔電般閃亮、焦雷般沉重的
戰鬥大時代。

展示如旗，是你忠貞的理念，
風雨馳驟，是你智慧的神機，
你峥嶸的肝膽上，
崛起了霸業的城塹，
血液裡，脈搏中，永遠激盪著
得勝有餘的鐘聲……

隨手舉一個空城，
從容揮退怒潮般捲來的雄兵烈馬，
只消一個設計，
便七呑七吐那蠻荒的日星，
擲一瓣燃燒的東風
將橫槊賦詩的奸雄笑靨焚成灰燼，
你的木牛流馬，草船借箭……
在驚歎的人心上塑就了永生的典型。

一字一星辰的，
寫下了前後出師表；
一呼吸一片血淚的，
表盡了畢生忠貞。
啊，你輝耀的英名，
永垂成光普宇宙的日月，
隆中山色，痛壯志未酬，
到如今還起伏著千古的不平。

渡江楫 ·祖逖·

祖逖不能清中原而濟者，
有如大江！（祖逖）

百籟沉澱的夜，昇起一聲荒雞，（註一）
便頓然春回了你的冬夜，
炬亮了你的心燈。
「非惡聲也！」（註二）你醒了沉睡之劍，催它
凌動成子夜的飛虹，
掃盡天星明滅的銀笑，
遂使——
風嘩、霞爆、日轟
晨光鏘然而起！
啊，你葵盼日出的心胸，是
中興的火種，點燃起萬家願望的心蕊，

夜了的東晉，河山風雨，
是你使晴笑成光華社稷，
「奮威將軍」（註三）的煌煌功烈，緣自
荒雞曉覺、拔劍奮舞的激情。

啊，你一舞而
蹴起青史的晨光。你一劍而
揮成不朽的復興。
啊，你中流的一楫而擊成樓船橫海，（註四）
高舸大艑破賊歸！（註五）

註一：雞夜鳴不時，謂之荒雞。
註二：逖與劉琨同寢，中夜聞荒雞鳴，蹴琨覺曰：「比非惡聲也！」因起舞。
註三：元帝時，逖自請統兵北伐，帝以爲奮威將軍。
註四：逖爲豫州刺史，渡江，中流擊楫而誓曰：「祖逖不能清中原而濟者，有如大江！」遂部兵與石勒相持，破之。自是黃河以南，盡爲晉土。
註五：句借于右任先生詩。

楫江渡

慷慨尚節，輕財好俠，他把少年歲月中的日月星辰譜一支激情昂奮的生活進行曲。十五歲後才折節讀書，將心靈深深地浸入浩如煙海的典籍之中，涵泳孔孟，馳騁孫吳，向閃閃的字粒尋生命的境界，用英雄式的熱情注入勃壯朗健的生命。

與劉琨同任司州主簿時，日夕相處，共寒夜的寢被，勵風雷的壯志，每於中夜聞雞，便一手把夢推開，相促同起，說：「此非惡聲也！」於是，寒窗下飛閃著捷健的人影，星霜中凌動著如電的劍光！啊，一個二十四歲的青年人，鍛志如鐵，要一劍抹掉天幕的陰黑，要一腳踢醒大地的黎明。

那時，歷史的腳步是沉重的，一步一個憂傷。

晉惠帝北伐失敗後，大地創痕纍纍。數不盡晝間縱橫的虎跡與星夜泣血的鵑啼，人民在噩夢裏湧盪長哭；殘破的關河、凋敝的村落、戰爭把歷史帶入熊熊的烈焰，貓頭鷹格格地慘笑在月亮哭昏的夜裏。大臣雌伏，盜賊雄飛，諸侯生叛；歲時在苦難裏流變著，日月蒙塵，京師大亂，血淚的史頁逼迫得晉室南遷……

他也避難到江南了。崎嶇裏，稜尖的石子刺傷了腳，血，滴下來，每一滴都是苦難的花。而他千盤百結的心腸，是更如鐵之堅了。啊，生命一如海帆，震顫於苦難的洪波，載智慧渡過大海。英雄啊，往往用黑夜來釀造黎明，煜煜的旭日輝芒，原都是盈天星淚的種籽。

南遷後的晉室，重新把河嶽安排，將日月擎穩，移時，他便向晉元帝建議，一字一火種的說出肝膽肺腑：「晉室之亂，非上無道而下怨叛也。由藩王爭權，自相誅滅，遂使戎狄乘隙，毒流中原。今遺黎既被殘酷，人有奮擊之志，大王誠能發威命，使逖等爲之統主，則郡國豪傑，必因風向赴，沉溺之士，欣於向蘇，庶幾國恥可雪。」

於是，皇帝任命他爲「奮威將軍」兼豫州刺史。

啊，風虎雲龍，大地有走砂飛石。是他領軍北伐了。

雖然，士兵只一千人，且缺鎧仗；餉糈、服裝也只廩布三千。可是，那吞天的壯志把山川搖動，把日月光昭，把大敵震懾。他出發了，歷史以凝重的神色對著他，南晉瞪著炯炯的巨眼注視他。他出發了；手緊握著國家的命運，奔行的雙足踏出赴敵的鼓聲，隨著南晉的脈搏激劇地跳動……

大江流日夜。戰舸征艑，旗旆風怒，一千虎賁征士還有流徙南來的百餘人家，渡江北進。浪千里，志千里，他誓挽長江的水洗滌山河滿目瘡痍，他要舉起鐵一般的壯臂去支穩那傾斜的天宇。戰船駛到大江中流，他迎風鐵立在船頭，怒眼對腥風，炯炯裂眥，壯懷無限，乃擊槳對大江宣示莊嚴的誓願：「祖逖不能清中原而復濟者，有如大江！」

這時，群寇縱橫，中原幅裂，山河大壞。北國全爲匈奴鮮卑所據，天險盡成仇城；他艱難進軍，迎擊的敵人是慓悍無比的石勒。群寇大旗烈馬，糧糈輜重，百里相接，官兵則成孤軍直入，一路上履險入困，艱厄千阻；血淚行程，眞眞苦煞這青年人傑。

愁生故國，氣吞驕虜，雨急雲飛裏，石走沙飛，血痕斑駁，正是「長庚光怒，群盜縱橫，逆胡猖獗，欲挽天河，一洗中原膏血。」勇略奇謀，鐵膽殊功，他在旗馬兵燹中心力交瘁，血淚瀕枯，但他緊握著一寸丹心，誓願與裹傷征戰的士將，相對於骨嶽血淵之中，爲復國而拚力奔邁。心懸落日，不辭血濺鯨波；肝膽媲美鐵石，軍魂不肯遑爲冷雨凋花啊，壯烈千古有餘情。

相伴長劍縱橫，雄兵直搗，坎坷中夜鵑啼血，康莊裏日出千山，終於，他跨據大河，秣兵厲馬，壯懷無限。「玄酒忘勞甘瓠脯，何以詠恩歌且舞。」苦難大地的民詩民謠，將他壯懷殊功的不朽典型留下……

關山月 ‧花木蘭‧

阿爺無大兒，木蘭無長兒，
願爲市鞍馬，從此替父征。（木蘭辭）

脫下繡鞋，
換軍靴凌夷了娉婷，
挽時代風雨，摧盡一臉嬋娟。
將腰身譜上征鞍，
一蹄踏碎舊時風月，
一劍抹掉了閨閣琴聲，
一揮長鞭使天外飛虹黯盡，
一回首，伊人眼中那片秋波，
盡響起壯士心中的戈戟聲聲……
將纖羅換了鐵衣，
贏得萬里寒光照。

將脂粉還給百花，
贏得沙場腥風拂面。
將女兒身交給將軍令，
橫眼看風搖牛斗，月冷千山，雪漫征程，
卻只一朵劍花，點破了萬山風雪，
創造了冬天裡的春天！

「十年長劍倚天外，
一夕紅妝拜膝前。」
百戰歸來，撥落心頭風雨，挽回臉上嬋娟，
燃一朵笑，點亮舊時兒女情，
將鐵衣上的寒光還給明月，
將沙場的漫漫長夜獻給黎明，
在閨閣中，纖纖玉指繡一朵琴聲……
一回首，伊人眼中的秋波，
依然是當年春水盈盈！

策勳十二轉

不是爲了功名半紙而去奔越風雪千山，也不是爲了肝膽英雄的沸熱感流而讓創口呼喚勳章。十二年黃沙蔓草戰場，白刃虹旗，龍劍鯨鼓，萬定死生，千決成敗，到如今，百勝征還，才換得明駝沙路，劍戟旗衛，護送了英雄還故鄉。

溯思十二年前事，卷卷兵書催逼，唧唧機杼含哀，娘親燈前啼泣，阿爺身體有恙，弟妹稚齡飴糕膝下承歡。只緣國事蜩螗，干戈紛擾，波及這安樂天倫，弟妹夜啼，爺娘晝歎，她才毅然從機杼聲中走出，把女兒身交給了甸重的鐵甲戎裝。

買駿馬，裝轡頭，備鞍韉。

跨飛騎，橫戈戟，氣英英。

把脂粉還給百花，將釵簪換了紅纓。邁軍靴凌夷了一代娉婷，向時代風雷捐出了一臉嬋娟。矯健的腰身譜進了旗風兵影，閃閃長劍斬斷了閨閣琴聲。

女兒拜別了爺娘，向天涯，長征戰，白山黑水，萬里引領暮雲深。馬蕭蕭，車轔轔，澄如秋江的眼色付給黃河洪波嗚濺濺，皙如美榴的耳朵交給燕山的胡騎聲啾啾。

關山月咬著鎧甲，黃昏星盯著征人。戍歌傳遠塞，晝戰撼寒霆。銜枚狂奔兵百萬，「殺人如草不聞聲」。女兒淚染白異鄉月，叱咤聲驚傳將軍令，刁斗森嚴夜，沙場秋點兵。曾幾度苦戰到沙場月破爲碎片，曾幾度苦戰到血淚濺上黃昏星。曾幾度陣移龍勢，營開虎翼，山虛弓響徹，地旋角聲迴，旆旗急鼓中紛湧著生死激情……

啊啊，十二年間，汗血濺湧的沙場拚殺，腥風裏的紅顏，臉上刻著征人情操的堅定與神聖。風霜履歷，關嶺千重，水寒草苦，瘴癘纏身。草莽間夜戰遁形，沙磧上怒接短兵。馬嘯胡月聲悲切，征人橫戈氣如吞，存亡生死瞬間見，榮辱成敗道義情……

戰爭暴跳著，死亡疾走在歷史的荒原。

牛斗光寒、星輝臨照上肝膽，萬里征心，縱橫塗抹著劍痕。

胡騎猋犇、牛斗光怒，關河破碎，豪傑飄零。

誰挽天河水，一洗大地羶血？雨急雲飛裏，女兒身行盡萬里，吐不完一腔壯意，表不盡一寸丹心。

踏破賀蘭山，向頑石要星火。

橫過暴風雨，向長空要彩虹。

啊，十二年艱難視息，表不盡辛酸苦痛，心力都瘁；說不完刀光劍影，血淚交迸。直到天涯靜處無征事，一片日星輝耀，化做含和吐明庭，將軍百戰還，可汗賞賜有百千……

征人淚，想的是久別爺娘白髮，女兒身，念的是天倫菽水承歡。將青春化做一朵劍花，點破了萬里風雪歸來，將鐵衣上的寒光還給明月，忙碌的馬蹄音還給風雪千山，將天倫淚還給相逢把臂，鏗鏘的戰爭還給和平。「十年長劍倚天外，一夕紅妝拜膝前」，啊，聽閨閣琴聲長伴一臉嬋娟，看窗外花英照映著倩笑紅顏。伙伴顧，回首處，當時將軍怒眼裏，有萬頃雲濤接天，而今竟成明眸秋水，一泓秋水照人明，照人明，無限情，健兒原是女兒行。

永恒的血痕

·張巡·

忠信應難敵，
堅貞諒不移。（張巡）

援兵不來了，
城悲慟著……
最後一瓣夕陽飄落在城堞上，
夜的死蔭開始塗繪大地的容顏，
黑色的時間頹落成希望的殘片，
戰爭暴跳著，
每一寸腥風上，都緊緊的釘住你的
海一樣深的守城的血誓。
到處是裹創出陣的士卒，
而你是飲血登陣的將帥，（註一）
晝寢的星月一齊都爬起來，

一看這場艱難卓絕的戰事，
一看你是怎樣的
繼續憑著肝膽做金湯。

糧盡了，羅雀、掘鼠、吃茶紙、樹葉，（註二）
哦，只要銀河裡有一杓水，
只要大熊星還剩下一塊肉，
你們便會分享著，
繼續這場爭戰。

兵法是無窮的藝術，
智慧像源頭的活水，（註三）
憑城切齒，披髮長空，
你是怎的用六千八百人，
去殺了十二萬好幾的勁敵，
而又要賊酋賠上一隻眼睛。（註四）

睢陽城永不陷落，

因爲它是築在你的丹心之上，
而你是用死來永生的英雄啊，
因此，城池也始終未破，
憑恃著你不朽的精神。

啊啊戰鬥的大地，
永遠沒有黑暗，因爲，
你落下的牙齒，已蛻爲地上的星辰！（註五）

註一：張巡「守睢陽」詩句：「裹創猶出陣，飲血更登陴。」

註二：睢陽城中食盡，將士以茶紙樹皮充飢，茶紙既盡，遂食馬，馬盡，羅雀掘鼠，人知必死，莫有叛者。

註三：通鑑載：「諸軍饋救不至，……士卒皆飢病不堪鬥，遂爲賊所圍，張巡乃修守具以拒之。賊爲雲梯，勢如半虹，置精卒二百於其上，推之臨城，欲令騰入，巡豫於城鑿三穴，候梯將至，於一穴中出大木，末置鐵鉤，鉤之使不得退；一穴中出一木，柱之使不得進；一穴中出一木，木末置鐵籠，盛火焚之，其梯中折，梯上卒盡燒死。賊又以鉤車，鉤城上棚閣，鉤之所及，莫不崩陷，巡以大木，末置連鏁，鏁末置大鐶，搨其鉤頭，以革車拔之入城，截其鉤頭，而縱車令去。賊又造木驢攻城，巡鎔金汁灌之，應投銷鑠。賊又於城西北隅以土囊積柴爲磴道，欲登城，巡不與爭利，每夜潛以松明乾蒿，投之於中，積十餘日，賊不之覺，因出軍大戰。使人順風持火焚之，賊不能救，經二十餘日火方滅。巡之所爲，皆應機立辦，賊服其智，不敢復攻，遂於城外穿三重壕，立木柵以守巡，巡亦於內作壕以拒之。」又，巡初守睢陽，時卒僅萬人，城中居民亦且數萬，巡一見問姓名，其後無不識者。前後大小戰凡四百餘，殺賊卒十二萬人。

註四：巡欲射賊將尹子奇而不識，乃剡蒿為矢，中者喜，謂巡矢盡，走白子奇，乃得其狀，使霽雲射之，喪其左目，幾獲之，子奇乃收軍退還。

註五：將士飢病不能戰，城遂陷，張巡許遠俱被執，賊將尹子奇問巡曰：「聞君每戰皆裂齒碎，何也？」巡曰：「吾志呑逆賊，但力不能耳！」子奇以刀抉其口視之，所餘纔三四子。

睢陽喋血

・寫張巡・

「憤生貔虎三軍氣，力遏江淮萬里流」（鮑桂星），「厲鬼可爲終殺賊，寶刀先斷賀蘭頭」（蔣士銓）。

集忠貞、智勇、剛毅不屈於一身，張巡你的生命是大唐忠臣烈士的最高象徵。以六千八百人而經歷大小戰役凡四百餘戰，殺賊卒十二萬，堅忍肆應，不屈以死的，張巡你的靈魂是大唐軍魂的光輝典型。

唐肅宗至德二年，在開春的正月，叛賊安慶緒（安祿山之子）命其將尹子奇，率領十三萬兵馬，趨馳圍攻睢陽。張巡應許遠之請，急引所部三千進援，兩人共計士兵六千八百人。孤城忠憤，晝夜苦戰，一日戰鬥多達二十次，亙半月之久。擒賊將六十餘人，殺賊卒兩萬，士氣倍增。在這「忠臣肝膽塗地之秋，烈士立功之會」（陳琳），張巡奮其智勇，勵以忠貞，所部皆以一敵百，「雷霆之所擊，無不摧折者，萬鈞之所壓，無不糜滅者」（賈山），「臨堅陣而忘身，觸白刃而不憚」（辛雄）：而忠貞之血，堅刃之淚，向敵之力，眞可謂忠義長輝，肝膽浩然，足可令懦夫成勇，劍士思奮。

賊衆在挫敗後，引兵夜遁，至三月，尹子奇復引大兵來攻，征塵漫天，大地爲動。張巡對將士說：「吾受國恩，所守正死耳！但念諸君捐軀命，膏草野，而賞不酬動，以此痛心耳！」將士皆激勵請奮，遂盡軍出戰，直衝賊陣，斬其將三十餘人，殲其卒三千，逐之數十里外。翌日，賊又集大軍，再行圍城，旗鼓進逼，箭如雨下。張巡與將軍南霽雲即將雷萬春等十餘將領，各以五十騎兵，啓城門出擊，直衝尹子奇營寨，斬賊將五十餘人，殺賊卒五千餘人，賊壘大潰，敗而逃。這時，睢陽城已無糧，而外亦無援兵至，喋血奮力之餘，張巡熱淚寫下一首詩：「守睢陽」——

「接戰春來苦，孤城日漸危，合圍侔月暈，分守若魚麗。屢厭黃塵起，時將白羽揮；裹創猶出陣，飲血更登陴。忠信應難敵，堅貞諒不移；無人報天子，心計欲何施！」道理貫心肝，忠義塡骨髓（蘇軾句），其崢嶸志節、悲壯情懷，血淚躍然紙上。其後宋人王令寫過張巡的詩，也是忠義清輝的想像之萬一，句曰：「……巡瞋睨遠兩眥折，怒嚼齒碎鬚張肩。恨身不毛劍無翼，不能飛去殘賊嚥……。」

慘烈的戰鬥從春暖到秋涼。七月，尹子奇又徵兵數萬，急攻睢陽。這時睢陽城中糧盡，將士以茶紙樹皮充飢，茶紙既盡，遂食馬肉，至及皮骨；馬盡，乃羅雀掘鼠以繼，人人知道必至戰死餓死，而絕無叛心降心。姜太公曾說：「將不仁，則三軍不親。將不勇，則三軍不銳。將不智，則三軍大疑。將不明，則三軍大傾。」睢陽城中，張巡主將其英猷獨運，戰兵鬥卒之卓立不回，「常思並建忠孝之績，共申家國之讎」（王勃語）者，即因爲是張巡的「才爲世英，器爲時出」（蘇武句），感召戰士其能「破百萬之陣，摧九虎之軍」（馮衍）。

睢陽士卒，死傷之餘，只剩六百人。在颯颯的秋風，肅殺的秋氣，慘澹的秋容中，將士們吃茶紙從事死守，以飢餓故不能鬥，便不復下城。賊卒來攻城的，張巡曉喻之以忠孝大義、綱常浩氣，往往棄賊而反正，爲張巡從事死戰，前後來歸者二百餘人。最後，戰死餓死病死，僅剩下四百人。到冬天，冰雪季，賊眾登城，將士飢病至不能起而戰鬥，城遂陷。張巡、許遠俱被執，乃並南霽雲、雷萬春等三十六人就義。

洪波振壑，川無恬鱗，驚飆拂野，林無靜柯（殷仲文），而雷漭電洩之中，誰是擎天的峰嶽？而乾坤黯淡海水橫飛之際，誰是耀爍的日星？風飆喋血，貞骨千年，百戰孤忠，身殲名在，萬年史誌萬年香！日星不滅，張巡不朽。

悲憤的滿江紅 ．岳飛．

文官不愛錢，武官不怕死，
天下平矣！（岳飛）

鏘然的生命，
從巨鵬的翅尖抖落，
滔滔洪水，
洗禮了苦難的嬰年，
你啊，胸羅斗宿，燦然光迸，
人間的一顆巨星。

將苦難磨亮年華，
英雄啊，你欲報國青雲路，
只背負著「盡忠報國」的一針一叮嚀，
在塵土雲月間，
讓腕下千鈞力，

化做霹靂橫飛，
束髮從軍，歷二百餘戰，
筆花開難落，
劍血紅不乾。

憑欄處，
一聲長嘯，驚醒了兩河豪傑，
滿江紅的音符噴薄有如火輪，
是一代英豪，
裂背而光燄動，
熱血而怒濤飛，
一伸手，便將板盪的乾坤，
移向磐石固。

靴壓朱仙鎮，氣吞黃龍府，
正十年長劍雄天外，
正九州晴霞一握時，
忽的是，權臣怒，

鑄情

此中原無意，
冰清一點情。

先父王亦民公句寫意

狡鵠竟嗚墜了天外揚鷹，
淚滴十二金牌啊，看
壯猷粉碎，怎堪萬里班師日，
大宋千山盡落暉……

抗懷低斗宿，
鐵甲裹關河，
英雄啊，劍摧萬敵，筆破千軍，
「宰相若為韓侂冑，
將軍已做郭汾陽。」
最是千秋定評。

奈何是江左長城，鄴城明月，
空換做熱血化碧，春草年年。
啊，你奮邁的跫音是長杳了，
卻留得詩詞光黯牛斗，
印證著丹心飛雷倒電金石鳴，
千秋血食到如今……

丹心照汗青 ·文天祥·

是氣所磅礡，凜冽萬古存，
當其貫日月，生死安足論！（文天祥）

你的生命之歌，
自顛落的世紀響起，
震動著婆娑萬有，
那音符搏虹而飛，
上絕巘而成狂飆，
入大海而決風雷，
湧現成高山，碎落爲浮島，
橫匯而成雷奮，煜然而如日星……
因爲，那是
磅礡之所孕，浩然之所鍾的
天地的正氣之歌！

看啊，一個世紀的眞男子！（註一）
他在崢嶸的肝膽上
高懸起大宋的日月。
他用長明的
詩句，照徹了板蕩的乾坤。
當一葉山河，在風雨中飄搖，
天下人，葉葉詩心，也歌哭且飄搖了。
而惶恐灘頭，零丁洋裡，（註二）
歷史的狂飆啊，
看，文然不動的是
一個眞男子，把丹心緊握成鐵石，成爲
青史上人性的黃金。

雖勤王的金戈挽不住大宋落暉，
卻書生的史筆綰盡了天地正氣。
一千個黖黑之夜，
把牢底坐穿，將熱淚灑盡，
一字一粒星地寫啊，寫你的

從丹心深處震動到婆娑萬有的歌……

而當你燦爛的頭顱在柴市，西沉，

血，流成古英雄的晚霞，

啊，大宋朝，便此再沒有日出了。

可是，讓萬代驚起——

看你自贊的衣帶，竟飄成(註三)

一彎長虹，永恒的，絢燦在億萬載的

山川人物心靈的晴空！

註一：元世祖忽必烈愛文山之才，不忍其死，文山則求一死報國以畢。世祖重其才而敬其人，歎譽爲「眞男子！」

註二：元將張弘範於文山被虜後，屢勸之降，文山以「過零丁洋」一詩相示。詩曰：「辛苦遭逢起一經，干戈落落四周星。山河破碎風飄絮，身世浮沉雨打萍。惶恐灘頭說惶恐，零丁洋裡歎零丁。人生自古誰無死，留取丹心照汗青。」弘範讀之，深感其忠義壯志不可奪，遂罷之。

註三：文山臨刑前，書其衣帶以自贊：「孔曰成仁，孟曰取義。惟其義盡，所以仁至。讀聖賢書，所爲何事？而今而後，庶幾無愧！」

梅花嶺上的忠魂．史可法．

兵能殺賊則兵，兵不能殺賊，
或所殺非賊，則並不得爲兵。（史可法）

當狂飆怒洗著一個時代，
你將熱血，鼓舞成火，
將心靈，揮動成旗，
你如花的青春，如鐵的志行，
介入了戰爭的悲壯，
凌爍成潮，捲動千軍……

宛如一顆
忍泣的孤星，你辭母而事長征……
聽，戰爭正啓齒，
唱破了一季的天倫夢，讓你的
磯頭思母淚，

滴滴沉江底。（註一）

千軍成路，眾志成城，（註二）
猶難當北來的寒流搏擊，
顫醒了河山大地，淚飄千帶，
揚州死守，
獨臂，擎不住的一扇南天，
把拳頭捏出血來啊，
帶淚的呼嘯，是要震碎時代……

梅花嶺表，魂兮歸來，
看此拔地的古柏衝霄漢，
看此萬點的寒梅冒雪開，
爲萬古的精忠喝采。

啊，你的英名歸向青史，
你的骨血還天地，
不必計較此身安葬墳塋，或埋委草萊，

卻是，永遠與天地同在。（註三）

註一：史可法，幼以孝聞。崇禎元年登進士，後理兵，純孝天性終不稍減於兵伍之間。曾督兵白洋河，有「憶母」詩：「母在江之南，兒在淮之北；相逢敘夢中，牽衣喜且哭。」後以奉詔進兵，於燕子磯口占有詩：「來家不面母，咫尺猶千里；磯頭灑清淚，滴滴沉江底。」

註二：可法廉信，與下均勞苦。軍行，士不飽不先食，未授衣不先御，有古禮將之風，以故得士死力。爲督師，行不張蓋，食不重味，夏不箑，冬不裘，寢不解衣。軍行，不具帷幕襆被；當天寒討賊，夜坐草間，與一卒，背相倚，假寐，須臾，霜滿甲冑，往往成冰，欠伸起，冰霜戛然有聲。

註三：可法死守揚州，力戰而殉，無從覓尸，遂招魂，爲衣冠塚，葬於梅花嶺。生時，每繕疏，循環諷誦，聲淚俱下，聞者莫不感泣。每加官，皆力辭。初，可法母尹氏有娠，夢文天祥入其室，乃生可法。

上帝之鞭 · 成吉斯汗 ·

歷史上有誰使伏爾加河顫抖，西伯利亞震撼，
老毛子的孩子聞名不敢夜哭的？唯我成吉斯汗！（成吉斯汗）

來自千重苦難，
去向萬里光明，
你爲日月精華所育的生命，
是如此鐵中錚錚。

騎一匹烈馬，從斡難河畔來，
將彤雲和狂飆放出衣袖；
急雨頃刻滿中原，
雄風追人驟。

高原的健者啊，
撕大草原來飼馬，

在古月鉤上掛弓，
向銀河裡洗劍……
捉一把高加索的行雲，
涼一涼揮鞭的手掌，
對天山的飛鷹，長嘯一聲，
讓它帶起強者的口信……

第一次西征，忽章河仰吻馬唇，
二十萬斤馬蹄鐵將一些國家
敲成碎片。
第二次西征，在無數仙人掌的
投影下，欽察汗國飲雄風而屹立，
莫斯科被連根拔起，
植入大元的盆栽。
第三次西征，
趕埃及入殯衾，教大食唱葬曲，
驅阿拉伯上訃聞，
「刷」的一鞭，

打碎了金字塔的禿頂……

哦，健者！九十年的統治，

百萬世的令譽，

中華民族有一支馬鞭，

閃亮在大世紀的心靈。

海上醒國魂 ·鄭成功·

海可枯，石可爛，
報國之心，決不可移！(鄭成功)

異族的閃電，焚燬了崇禎的明月，
中原的天空，墨經著無數星星。
你以英邁之步，越命運的荒野，
終得脫下一身長夜，將自己交給破曉的華年。

長悲那虎之離山，魚之出淵，
焚了一身儒服，(註一)
痛哭誓師啊，只緣
君恩滄海闊，親思暮雲深……
心是永恒的白水，
血淚化碧年又年！

擎金廈兩島爲雙拳，(註二)
擊碎清廷垂到南方的下顎，
你化身爲一輪燦爛的旭日，
雄升海上，鼓舞歷史的波濤，
你的歌，溶盡壯闊的海雲。

曾入中原飛戎馬，(註三)
又向天涯發怒舲——(註四)
看百幅征帆，呑飲萬里雄風，
你的水兵一掌拍醒了鼾臥的鹿耳門，(註五)
勒控著荷蘭人的喉脈，放一袖秋風，
使一葉海島，輕輕地
飄落你的掌心。(註六)

空空赤手，扶穩了
大明正朔的十數年星辰日月，(註七)
耿耿丹心，血亮了
海外孤忠億萬載不墜的典型。

你這創格的完人啊，
鬭洪荒而撒播遺臣血淚，期後世（註八）
收獲絢爛的歷史日星。
而恨不能做一次小小的灑掃，（註九）
使九州淨了胡塵，
點日月爲大明的壁燈！

註一：成功再三苦勸其父勿降清，父不從，成功牽父衣跪而哭曰：「夫虎不可離山，魚不可脫淵，離山則失其威，脫淵則困，吾父當三思而行。」父終不從，後遂見害於清。又，成功知父被解北京，母自縊死，大慟痛，遂往孔廟焚儒服，戎裝長揖而去，痛哭誓師，矢志以清爲敵，以挽國祚。

註二：成功據金門廈門兩島，與清對峙，軍聲飆發，攻守俱烈，屢揮奇兵擊破清軍，嘯勵如神，縱橫四方。

註三：成功親挈銳旅，直指中原，兵塵匝天，志吞清祚，風威所被，京畿震動，清軍一經接戰，即告披靡，風雨盈野，軍報阻絕，時清帝急欲遁逃關外以避其鋒，其母責之。後世引爲騰笑。

註四：兵挫，成功挽師以還，慮兩島不足爲固據，乃議取臺灣，千舸俱發，破海圖之。

註五：時鹿耳門居然漲潮，如天助也。鄭軍揚帆而至，掩岸而陣，揮刀飛戟，直取荷人之所據。

註六：荷蘭人據我臺灣有年，成功銳意規復舊疆，乃命將士即戰即耕，使戎馬與耕犢並作也，荷人憑城堞見此，知鄭軍之來，作百年之計也，大爲駭服。

註七：成功奮志經營海外，奉明正朔，秣馬厲兵，延明統十有餘年。孤臣孽子，血忱大義，典型垂焉。

註八：清名臣沈葆楨寫延平郡王祠之聯曰：「開萬古得未曾有之奇，洪荒留此山川，作遺民世界。極一生無可如何之遇，缺憾還諸天地，是創格完人。」

註九：成功十一歲時，老師命題，「灑掃應對進退」，命為文。文中句曰：「商湯周武之征伐誅滅，也是灑掃之一種；堯舜之揖讓天下，亦為應對進退之一端。」師讀而大奇之，是可窺其稟性與器局。

大木千秋

誰扶得起大明朝流血墜地的夕陽？誰拼得好大明朝龜裂破碎的河山？啊！是誰怒騰壯臂，擎穩了宗邦傾斜欲崩的天體？是誰將一生的血汗膽智，化做一片皇皇國祚的晨陽輝光？

啊，唯我「大木」，少年英發，天性忠貞。當北方而來的閃電焚燬了大明朝的晴雲與月色，當愛新覺羅鏗鏘的馬蹄震碎了大明朝二百七十餘年的江山，你便成爲一頭壯烈的獅子，奮鬣怒吼在南天，孤忠勁節，延展了十七年的大明國祚，造就了億萬載不墜的英名。

你七歲自海外回國，十一歲塾師命題作文，你針對「灑掃進退應對」的題目，寫下「商湯周武之征伐誅滅，亦是灑掃之一種；堯舜之揖讓天下，亦爲進退應對之一端」，是可一窺你恢弘的器局，不同凡流的慧根。

你志慮貞純，孝念與忠忱齊發，剖析大義，展示出血忱丹心，也曾再三苦勸過父親的不可降清，以至牽衣跪哭，說出悲慟的心聲。

當父親被解送北京，母氏自縊而死，英雄啊，你柔腸寸斷而忠肝如鐵，便「奮報國之血誠，焚儒服以告廟」，向先聖長揖而去，呼千軍萬馬入陣，揮淚痛哭誓師，啊！「忠猷愷摯，壯略沉雄」，深恨如海，國仇如山，你一身兼盡了孽子孤臣，要教百折險途腳下直，而把萬里河嶽一肩挑。啊啊！草木悲淒的山嶽，便戟張了沖天的怒髮，那擁波濤而哭泣的河川，掀起了滔天的怒潮；弘勳有奕，苦節彌堅，那是你心頭的壘塊與脈管的熱血所化啊，那是你焚雲煉日怒擊風雷的壯志之所鍾。

「銘具金石之誠，式重河山之誓」，啊看，你磨礪風雷指揮日星的手勢，啊聽，你安排乾坤推移山岳的聲音。你化金門兩島爲雙拳，向大清帝國無情的逼近，你攻守俱佳，奇兵屢出，「陷陣則發蒙振落，赴敵則烈風迅雷」，長把清軍大破，使其領䊮振動，敵人視你如神！

國恩孔厚，父恨深長，你以愛國的熱血，遍染烏雲爲千里的明霞，以生命的烈焰，點燃大明煒煒的日星。「海可枯，石可爛，報國之心，決不可移！」那是你擲地猶做金石聲的百世心音啊；在你所展的大明藍天下，山脈挽著山脈的壯臂，江河跟著江河的步伐，締結聯盟，邁步共進，要去創造一個飆風發發大旗烈烈的明天。

馳舞日月，灑掃山河，「聊用吾兵左驅右馳，使清朝稍知痛癢。」啊英雄，你大聲地說：「將見我兵抵吳而吳靡，入浙而浙摧，至粵而粵破，動閩而閩瓦解」，啊，你的英雄氣勢是何等的飛揚凌厲，那詞句，是鐵與血的宣言。你揮兵北伐中原，志吞南京，腳踢黃河，東南爲之震懾。你掩山河以千軍，覆日月以旌旗，使清廷軍報阻絕，清帝惶驚不已，便要逃到關外去避難，贏得後世騰笑。啊，英雄，圖百戰之雄規，想千年之令範，則是你直入中原飛戰馬之後，又向天涯發怒舲；你的槳櫓驚醒了多浪花的東海，你的劍鋒淬亮，掃落了荷蘭守兵頭上的日月星辰。

婆娑之洋，美麗之島，在你歌吟過「縞素臨江誓滅吳，雄師十萬氣吞吳；試看天塹投鞭渡，不信中原不姓朱」的壯慨之後，便輕輕的落入你的掌握中了。那是我們祖先早在一千七百五十年前就發現了的啊，英雄，你將荷蘭人一手揮退，使此「溫泉的花國」「薔薇的畫舫」，重見漢族的衣冠。而你奮起經營，奉明正朔並延其統，殊功熱血，長伴著大海潮音，向青史，展現一片光明。

「開萬古得未曾有之奇，洪荒留此山川，作遺民世界；極一生無可如何之遇，缺憾還諸天地，是創格完人」——沈葆楨以異代名臣，爭得你千秋血食，更以彩筆，抒下你一生的痕影，到如今，仍可想見你英壯的威儀，以及你所感受深摯的：君恩滄海闊，親思暮雲深……。

人性的救贖者．吳鳳．

祭君當以人參果，壽世應如阿里山；
仁者愛人無不愛，犧牲豈止爲臺灣！（于右任「吳鳳廟獻花」）

化頭顱爲文明的旭日，
從蠻荒草萊中升起，
鮮血是源頭的活水，
灌溉人性的禾苗。

紅衣白馬的騎者啊，
使我想起歷史晴空的虹彩，
當夕陽撞碎在西天的門檻，
引動了滿天燦麗如躍的星辰。

滿天星辰，是人性的宣言啊，一字字
寫在遼夐一碧的天頁，

挑戰向夜，征服了黑暗，
引步東方海島無數的夜行者。

你是山，以嘉義爲起點，
伸延向大地成阿里。
在昔年人性的荒漠裡，你是駱駝，
馱人心向水草，引生民到綠洲，
渾不顧漫天的風沙將你葬埋……

只用一顆頭顱，便
焊補了番刀下破裂的人性，
在沙米基族人的震天痛哭聲中，
敬愛的通事啊，文明醒了，
醒自你的東方，醒自你的島，
醒自朝霞般絢爍的你的頸血之中。

註：吳鳳，字元輝，清平和人。幼隨父母入臺。性沉靜，喜讀書，富思想，有器識。清康熙年間，臺灣阿里山區有沙米基族者，相沿有割人頭祭神祈雨之惡習，曾於一事變中殺清吏四十餘人，切下首級帶回山區。事後清廷擬派一名通事管束疏導之，一時無人膽敢前往，而吳鳳毅然就之。鳳在通事凡四十八年，備受番胞

愛戴，成爲衆番景仰之象徵。鳳力主以獸頭代替人頭祭神。改習俗不久，遭大旱，番人以恢復人頭祭神請，鳳不允，相持不下，鳳乃決心有以化服之，遂相約某日有紅衣騎白馬包頭而至者，可取其頭祭神，衆因乃歡散。如期而往，見其果然，遂呼嘯而上，切下首級，及解其頭包，赫然驚其即鳳也，舉族大慟不已，遂自此罷其惡習。後人譽鳳爲「仁聖」，立廟祀之。

將軍血　．左寶貴．

只要還有一兵一卒，一槍一彈，一弓一矢，
我們必戰鬥至死，絕不屈服！（左寶貴）

腥風夾著血雨，狠狠地
揉碎了這場堅苦卓絕的戰爭，
那三千具染血的忠骸上，
是八萬個敵人狂用武器肆虐的痕跡，而將軍，你
被砍斷的雙手，似仍在揮劍，
被剜掉的雙眼，氣勢仍可吞天……

無數殘碎的尸首，展示成一部
燃燒的甲午戰史，
裂腹穿腸的左將軍，
唇上還掛著如山的軍令，
尸身上，還醒著鐵的紀律……

孤城上，咯血的落日啊，
似在憑弔千秋英烈的猛影巋然。

曾被他緊握著的城，
受創的山，流血的河，殘崩的堞，
是將軍用血寫下的遺囑，
不朽的丹心射日紅，
千秋的血淚搖天碧，
是他當年開盡鮮血的花朵，
結一顆永生的果實！

青史聖者
·國父孫中山先生·

吾心信其可行，則移山塡海之難，
終有成功之日。(國父)

十九世紀的翅膀，
飛不出噩夢的密雲，
斐士那黑雨抃舞搖撼著魔夜，
大悲劇在人心上焚燃。
聖者啊，你搖醒祖國從專制的荒原，
跨上革命的騮馬，
揚鞭向民主的遠方馳騁……

十次的人馬仆倒，
創傷的血，滴在地上開出奇英，
揮淚前進啊，從黃昏辛酸到黎明，
終於，穿過夜的巨掌，

將祖國帶出風雨的夢境。

攀越奮鬥的高峰，
迎向苦澀的命運，
揭開人世的惺忪，大地初醒，
遍植自由、平等、博愛，
用智慧耕耘，用血汗灌溉，
十億子民享用聖者畢生盡瘁的成果，
享用他赤手空拳創造的豐年。

數十年來，多少歡歌
被哭聲扭斷，多少笑容被悲哀揉碎，
多少啜泣、亂夢、驚顫，
悸慄了寧謐的生活，理想的星辰。
聖者遺留下血染的上國，
在找尋新時代英雄的腳印，
啊，聖者用遺言召喚國魂，在血，在火，
在英雄交響曲的、鋼般的強音……

你廣慈和藹的遺像，印證著
中華朗朗的古道，
你淑世垂型的影像，上映星日，
普照成河山風雨中的信心。
你奮邁的足印，是愛國的詩句，
題嵌青史以不朽的光澤，
啊，中國，因你而化做身繞風雷的蒼龍，
穿越煙雲騰舞草木華滋的
人倫民主的碧原！

開國・永恒的星

是誰以創世紀智慧的閃光，焚盡了遮蔽東方深垂五千年的歷史帷幕？是誰以大爆雷的生命烈響，轟然震撼大地的搖床，而甦醒了民主的生機？是誰以廣慈博愛的心靈聖焰，冶五族的晨光夕曛於一爐，把萬里河山重鑄，創造穿雲而立的華夏？是誰化枯萎爲新瓣、化腐朽成神奇，以數十年必死之生命，立國家億萬年不朽之根基，使民主革命的輝芒透亮了四萬萬人的視野，豪華了四萬萬人的想望，錦繡了四萬萬人的前程？……

我們熟悉河山風雨中，您昂奮歲月裏試煉的挫折失敗流離與顚沛。我們知道在險阻艱辛裏，您堅毅地迎向苦澀命運而攀越奮鬥的峰顚。十次失敗、兩度蒙難、四次被逼出境，浩浩山河，都譜上您聖者創業垂統的手痕與腳印。乾坤百劫，毒泥荊棘中，是您的生命血淚湧現爲民族的靈泉與彩雲。

當鴉片戰爭的火把，燒掉了紙老虎唇上的微笑，當英法聯軍的劍戟槍枝，揷上苦難中國冷顫的心田，當歐羅巴在政治的神風中鼓翅起飛，當日本維新、櫻魂煥發。啊，在我們中國可愛的珠江三角洲，也澎湃起民主思潮的狂瀾，十九世紀放射出人權的光明。是您啊，化生命爲民主的號角，攘臂引喤，亮出眞理的召喚，領著四萬萬人，爲走向和平奮鬥的高崗而穿越風雨的荒原！

啊，想當年，那刀光與劍影，來自東方，那瓜分與豆剖，來自西方，那鯨呑與蠶食，來自南方，那虎視與鷹瞵，來自北方。中法戰爭呀，甲午戰爭呀，庚子事件呀，使得生民凋殘，山河憔悴，國家淚落，大地膽寒。而您，奔走大江南北，召喚同志，共憤同痛於「堂堂華國，不齒於列邦，濟濟衣冠，被輕於異族」，您們具有海般深沉的誓願，要在「頹波橫流之中，拯同胞於沉溺，鐵騎金槍之下，返大漢之山河」，自同盟會成立後，黨人碧血，常灑大地，除了江西萍鄉和湖南醴陵、瀏陽的舉義，翌年（一九〇七）在您的直接主持下，便有連續四次的舉義。即潮州黃岡之役，惠州七女湖之役，欽州防城之役，廣西鎮南關之役。「大風捲水，是旗門斬將之辰，清冽吹寒，正雪夜擒王之會。寶刀燁灼，騎大馬而渡臨洮；旂鼓縱橫，驅胡雛而還長白。」那時節，在風雪中，在長夜裏，您的思想就是優秀的兵仗，您的作爲就是民族的陽光，您的意志就是大江南北霖雨蒼生的醞釀，您的言論就是國家歷史的動向。

您痛飲華夏儒家光輝的思想，開闢歐西智者精神的寶藏，您誓用自由、平等、博愛的聖火，煅卻五千年專制君權倔强的翅膀，您誓用民有、民治、民享的寶石，鑲上自由女神玲瓏的華冠。您與同志們，正相期於「志士鷹揚之日，雄夫振臂之時。佇看雪磧風高，飲馬長城之窟，不皆天山草白，放牛戈壁之原。卸甲臨風，飲八斗而不醉，行歌攜手，賦仇而無猜。」於是，革命的城堡，憑黨人的肝膽築起，如虹的戰曲，從大地的心靈唱出。鏘然的馬蹄，燦耀的軍刀，耕墾著枯萎了自由的九州大地，風雷爲喉，霹靂爲舌，在貞骨嶽峙，血海淵渟裏，民主與自由高唱，音符如滾地焦雷，旋律化爲掠天的狂飆……

您一手揮退了二百六十餘年滿清專制王朝的殘月疏星，您是光明的旗章澈照四億子民的康莊路。是三萬六千朵玫瑰的日子，散播出亞洲草原上華族的歌唱，是一百個不銹鋼的歲月，鑽造出近代史上國魂的輝煌，是五千年專制的熊熊烈焰熔煉出一個曠古光輝垂大動於國族的鐵漢，是九州風雨黯黯長夜使您創造了永恆的星，慷慨放光芒！您終於將那披髮痛哭的眞理從斷頭臺上救下來，將沉甸如山的君權一腳踢翻，以至大至剛的精神，創造了新的華夏，黎明的東方。

日月星辰的輝耀，象徵您怒放雄光的智慧；翠柏蒼松的勁節，印證您在苦難霜雪中的堅強，那大時代的駭浪驚濤，在您愈挫愈堅的信心中化爲泡沫，四十年烈雨狂飆，因您手勢的揮動而變成陽光。而今，開國，成了您永恆的印證，我們永恆的禮讚，我們世代永受恩渥，將源遠而流長！

第一滴血 ·陸皓東·

憑弔中原，荊榛滿目，每一念及，
眞不知涕淚之何從也！（陸皓東）

你以第一滴血喚起了無數滴血，（註一）
滴青史為永恒之葩，
滴大地爲主義之花。
你獻第一顆烈士頭爲歷史之祭，（註二）
祭民主爲東方的甦醒，
祭自由爲中國的雄飛！

是冬青樹，冬青樹啊，
你的先凋
使冰雪消隱，萬紫千紅接踵而來。
是啓明星，啓明星啊，

你的隱沒
使晨曦鏘然而起，綺霞滿天。
看壯麗的黨旗，
看成你永恒不朽的微笑，
飄揚在國魂甦醒的高空。
看國旗的紅地，
看成你永不褪色的碧血，
灑彩在後繼者的深心。
多少年了，
曠野裡，那一聲召喚啊，
那是先知的召喚，我們記得。
多少年了，
荒漠中，那一道甘泉啊，
那是思想的甘泉，我們渥潤。
你的步子遠了，

像一粒燃過的火種，
你的形象隱了，
像第一瓣化泥的迎春花。
而火種啊，使光華澈四表，
春汎啊，讓群芳滿八區。

向你致敬，
你的形象長在青翠的松柏之間，
你的聲音長寓於風雨中的雞鳴，
你的生命是月中笛，霜裡鐘，
彌引成人間無限的神韻……

註一：陸皓東烈士，少與　國父有世誼，時相過從，縱談時局，互相傾倒，遂追隨　國父奔走革命。興中會之創立，烈士之力居多，並創作青天白日旗爲革命軍旗。乙未起義，事洩被捕，罵賊就義，時年二十有九，爲中國爲共和革命而犧牲之第一人也。

註二：陸皓東烈士在其就義供詞中，有句曰：「今事雖不成，此心甚慰。但一我可殺，而繼我而起者不可盡殺。吾言盡矣，請速行刑！」其臨凶若吉，視死如歸的精神，配其英雄頭、烈士血，垂爲民主奮鬥史上永遠的紀念。

鑑湖風雪 ．秋瑾．

身不在，男兒列，
心卻比，男兒烈。（秋瑾）

你是踏破千里冰雪而來的一朵花，
一朵早開的迎春花；
在薰風吹開大地心扉的前夕，
以生之形象領引來千紅萬紫。

你是衝開血路飛的一陣風，
一陣聲威浩蕩的雄風；
掠過時代的峰頭，掃向人性的曠野，
捲掃那專制敗葉以壯烈的聲威。

哦，是漫天風雪，奉出寒梅的清標，
是彌地嚴霜，釀得黃花勁節，

春錦

春比榮華秋比實，
玉為肌骨錦為心。

民國・樊樊山句寫意

你以壯烈的詩魂激盪天壤的浩氣，
　以秋風秋雨，悲白心頭的秋聲。

解除家室的桎梏，斷卻女性的鎖枷，
你以奔放的天足宣示男女平權的主旨；
放論泣杜鵑之血，說法點頑石之頭，
你播詩詞的霖雨造化龜裂的人心。

你是指向長夜的一顆星，
一顆耿光灼耀的彗星；
在民主理念黎明前的黑暗，
以閃耀的毅魄劃一道光去接引燁燁的旭日。

你是凌邁八荒的一支劍，
一支迎向時代創造新生的美人劍。
批君權的鐵頰，斷專制的頭顱，
閃亮的劍尖點亮了東方女權的黎明。

憤怒的鑑湖

秀美的西湖，與西施的濃妝淡抹總相宜，柔山呈碧，湖水涵清，還有丁香般馥郁的日月光明。那如畫的西冷橋，長伴著流水清韻，橋畔一座典麗的墳塋，是鑑湖女俠秋瑾先烈的安息所。離離芳草，輕掩著晶瑩的詩心，輕掩著一個水銀般潔淨的靈魂。

回溯腥膻的濁世，曠世風濤中，孕就了秋瑾的忠貞——為追求中國光明的理想，她投身血海，一如勇敢的採珠人。

她早年學書學劍，有過貂裘換酒的豪興，她吟刀詠菊，恆表不朽的詩情。縱談政治，她舌翻蓮朵般的讜論風發；倡導天足，她向三寸金蓮的思想勇猛揮拳。她的女權運動，表現了天性中的大智大慧，她辦「中國女報」，是巾幗不讓鬚眉的第一呼聲。她的詩心，激烈豪雄，創造了女中奇男的風格；她的丹忱卓識，照映汗青，蔚為國史上曠代的異采與光明！

秋瑾的丰容，明媚英爽，瀟灑出塵，顧盼舉止，是一代人物精英。她號競雄，字璿卿，生於民元前三十七年，籍紹興。祖、父都曾任知縣，而秋瑾卻喜跨雕鞍，舞長劍，馳騁在草原上，追千里雄風，摘天上星辰。她更彩筆縱橫，把滿天的紅霞驚散，引新月，上青天……

廿二芳齡即奉命出閣，偕夫婿走北京，在全國政治的樞紐，仰向嶄新的年代，受新思潮的激盪，秋瑾耳目一新。其時，清政不綱，風雲幻化，內憂外患的侵逼，風雨江嶽，大時代投影在她的心靈。民前十二年，義和團燃引起八國聯軍的戰焰，北京的城下之盟，清廷俯首。秋瑾身經目擊，不禁流淚滿面，那痛苦的時代，擊撞著她滴血的心靈。於是，抱著耿耿忠忱，她投身於革命的途徑。她首倡振興女學，創辦天足會，企圖將奴性思想，一舉廓清。她神聖的理念，是一顆粉碎舊制思想的爆彈，她果激的行動，如一記震撼昏迷人心的烈霆，爲著出洋留學，奔勞救國，她更不惜與家庭分裂，決絕了夫君。

民國前八年，她毅然奔赴東瀛；變賣首飾做學費，入青山實踐女校，廣爲交遊，結識許多革命黨人。她組織「十人會」，以反抗清廷、恢復中華爲宗旨。在橫濱的三合會分會中，她以才高智足，被同志推封爲「白紙扇」（軍師），每次大會，她都摳衣登壇演講，詞旨激烈悲壯，動人心魄，曾博得多少志士的掌聲如爆，贏得多少黨人的愛國熱淚粼粼。

民前七年秋天，　國父由歐抵日，在東京燦爛的秋色裏，聯合同志，組織同盟，見秋瑾抱負弘遠，首邀她做同盟會員，並被推爲浙江省主盟人。於是，革命的雄風向大地吹遍，革命的火把向黑暗狂燃，革命的大旗，迎舞向世紀的秋色斑斕，革命的歌，鼎沸了中原肅殺的秋聲！

革命勢力的壯大，使清廷感到焦灼，便設法取締中國留學生。日政府頒布了取締規則，使留學生們怒烈悲憤，陳天華投身大海做波臣。但有的主張容忍，秋瑾則主張休學歸國，好迎向時代的抗爭。她撇下無情的富士山色，回到新思潮騰沸的上海，與同志創設中國公學，安置歸國學生。這時，「中國女報」也一紙風行，引導千萬女性走向新生。

民前六年的冬天，劉道一在湖南爲革命點火，同志集議於上海，密謀響應。秋瑾挺身而起，助組光復軍，被推爲協領。大家計約同時發難於皖浙兩省，選敢死隊，並派二百餘人散佈江干相援應，不期徐錫麟殺恩銘案發，促警了清廷。秋瑾本即急約同志在六月初十起事，要憑如鐵的肝膽創新局，要用蘸血的素手掀起壯烈的抗爭，不料初三日，爲清兵所擒。

她被解送山陰縣署，慘受嚴刑拷打審訊，跪火磚，臥火鍊，上天平架……七次的死去又醒轉，任肉焦如炭，血流如注，任骨斷髮焦，不復人形，也折不了一顆上射牛斗的耿耿忠心！

「秋風秋雨愁煞人」，古軒亭口，時間是民國紀元前五年六月初六的黎明，一位三十二歲的女性革命偉人，通過死亡，贏得精神的永生，而她詩詞中的性靈與熱淚，不隨俠骨埋荒土，卻是一字一星斗，一句一朵雲，長留天地間！

怒筆風雷

・鄒容・

文字收功日，全球革命潮；
吾言已，吾心不已！（鄒容）

小小年紀，你就搖醒了自己，
從主人公的理念霍然站起。（註一）
小小年紀，你就揮臂
推開整個世紀的風雨。

那時，破落的中國的門户，
映著強權霜寒的劍影，
東方夜色，狠狠捕捉住一聲聲
國民灰黑的歎息，
小小年紀，你就舉生命鏘然投向
流燄般亮耀、震雷般沉雄的戰鬥時代。

你的文字，展示如旗，
你的激情，騰踊如火，
你點亮意志的銀河，搖響思想的星群，
以烈性的文字釀一季如虹的戰曲。
你飲天下以巨觥，要使
上國衣冠醉成中原的曉色。
醉成主義的奇葩，烈士的碧血。

當你燃燒激情的歌音
在鐵窗，在灰寒的歲月中枯萎，
你是無言的日落了，落成滿天的星斗，
落成明日待升的晨曦……

讀完一朵葵花的遺容，
有人在星空下哭泣……
啊，小小年紀，你是巨木啊，
在異族最後的斧聲裡，
倒下，倒在哀慟的海棠葉上。

啊，而你那不滅的精神，
譜上了黨人旗，
譜上了壯士曲，
譜上含淚的國殤詩與帶血的衝鋒號，
向專制的晴空掀起飛爆隆隆的狂飆！

註一：少年革命宣傳家鄒容，在十歲時已將普通兒童十載寒窗都讀不完的九經（易、書、禮、春秋、孝經、論語、孟子、周禮）連同史記、漢書都背得爛熟了。人們譽他為「神童」，他父親希望他以此博取功名而圖富貴，他卻深惡痛絕地說：「臭八股兒不願學，滿場兒不愛入，衰世功名，得之又有何用？」他是非常的民族自覺性的人物。嘗做詩曰：「落落何人報大仇，沉沉往事淚長流；慷慨讀盡支那史，幾個男兒非馬牛？」足可見其忠憤激情之一斑。

註二：鄒容十九歲著「革命軍」一書，風行國內外，銷售至一百萬冊以上，為清末革命書刊銷路之冠，而影響力更屬空前。革命風氣因本書而大開，偏僻地區買不到的，人輒手抄之以傳讀。

註三：鄒容陷租界西獄中，被獄卒虐待，每餐給粥一碗，豆三粒，冬夜以薄氈一襲蓋身，役以苦之，終於折磨至死，死時口噴鮮血，屍棄獄垣外，人莫敢過問，天下惜之，年二十一而已。

一筆走風雷

你的精神肝膽掀起雷鳴，把二百年奴隸的夢境驚醒，你以倔強的血手，從中毒的大地拔出民族業已生根的心靈！啊，「革命軍」！你英雄的警句將祖宗遺傳的血性自被辱的大地提昇，推倒滿人那吳山立馬的光榮，你鮮明地豪唱，響徹歷史的荒原！是你指給千萬人看，祖宗肥美的大地在列強鐵蹄下凄咽，這淨土人間已成不忍卒睹的慘景，歷史的舞臺正酣演壯烈的悲劇，大地上震撼的是無數被壓迫者慘痛的呼聲。啊，你高嗓烈喉，掀起宣傳風暴，你披髮高唱，音量與海天相連，你使新的中國如一個在沉睡中被捆縛的巨人一朝轉醒而掙斷繩索，向世界宣傲他的力量與形影，你使黑夜死滅在黎明的聖足之下，罪惡在正義的鐵拳之下碎骨粉身。

「革命軍」的作者，鄒容，天才高曠，童年時已破萬卷，爛五千年文史概念於胸中，神交古代豪賢。他胸次玲瓏，奇慧無敵，具有救世的宏願，蔑視那八股的章段與功名。他仇視極權，崇尚民主，夢寐求見政治維新。不甘寂居家山，要做一隻不羈的蒼鷹，期響著天高極，海寬極，他將一展那垂天之翼，好排棄這鬱鬱人間的積塵。於是，民前十一年，他的足下征程，指向東京，然後廣結肝膽，投向革命大本營。與章太炎、張溥泉、章行巖等，四人一拜，成了結義之親。鄒容橫厲的才氣，豪邁的志行，如神蛟破浪，烈馬馳原，他寫作了「革命軍」，爲中國革命的初春帶來了無限光影。

一九〇三年，一個十九歲的志士，集天下鐵與憤怒，鑄成巨著「革命軍」。它是理論的快刀，斬斷國人奴隸的根性，它是宣傳的爆彈，炸開了國民革命精神的聖門。焚燬了歷史的夜原，它是天才思想的烈焰，摧毀專制獨夫的威信，它是民主蘸血的鋼拳。立言明快，主張激烈，說理透徹，文字淺顯，充滿了意志衝力，充滿大破壞繼之以大建設的時代精神，以剖解式的理論鋪陳爲鮮明的照妖鏡，秉持擊劍似的文筆將民族情操中的大義血忱揮發分明。於是，一筆走風雷，雄聲傳天壤，國人革命的情緒，飛傳水染，九世復仇的星火，迅疾飛迸，醒頑立儒，振聾興聵，儼然一陣春雷，驚蟄了四萬萬頃冬眠的心胸。

「革命軍」的壯烈呼聲，震嚇了帝王的迷夢，也燃起了清廷的怒焰，於是，文字獄的「蘇報案」產生，擒了章太炎，誘致了鄒容自向鐵獄投奔。但煥發的天才，怎能承擔奴踐隸欺的歲月，冒雪怒放的寒梅，怎受得住地獄煉焰的熏煎，那森冷的獄壁，毒蛇似的長鞭，那飢寒交迫，血淚形影，終於，鄒容犧牲了，帶著他永不褪色的才情，帶著他剛行綻放的青春，帶著他莊嚴不朽的誓願與風雪人間的淚影血痕。啊，倏如夢幻，逝如煙雲，廿一年華，琉璃泡影。他享不到民主的第一絲陽光，看不到新中國的第一個黎明，但中華民國的第一片霞彩卻映著鄒容的血，民主自由的第一片旱風卻印證著鄒容畢生的智慧與精神。死，啊，人生自古誰無死？但我們是悲痛於，那荒煙野草中流血的落日，原是華美朝暾的前身。

原是革命魂的碧血鐵膽鑄成了鄒容，而鄒容以鮮血膽汁寫下了「革命軍」，「革命軍」是一本書卻更是一頁頁的激烈的意志、燃燒的靈魂；鄒容是一個青年卻更是化身了千百億的猛馬與雄兵。鄒容剛埋下地，他的精神卻開始在人間生根，「革命軍」竟發行到一百萬本以上，贏得千千萬萬人的熱淚，喚醒了這一代人多風雪戰鬥的春天。啊啊，金丹換骨，有還魂返魄之效，民族情操，有起死回生之靈。鄒容的精神，像勁松挺立於大地，像秋鷹翺翔於長天，四萬萬同胞啊，大夢方醒，請問：煌煌青史，哪一片悲壯蒼涼的呼喊，不是來自熱血的青年？

黃葉樓旁，年年秋風緊，但怎掩得住已逝生命精神的芳春。傾盡生命的顏彩，疾繪祖國的遠景，深植心靈的基石，趕築民族的長城。你說：「文字收功日，全球革命潮。我言已，我心不已。」容我們禮讚你，「革命軍中馬前卒」的英靈啊，時間只爲生命指出那瞬息，但生命卻寫下歷史不朽與永恆！

碧血碑

．黃花崗七十二烈士．

以吾人數十年必死之生命，
立國家億萬年不死之根基。（國父）

當民族抱落日而痛哭，
當邦國在魔影下輾轉啼泣，……
你們便攘臂而起！

猛然剝下染血的皮膚，
來縫製舉義的大旗。
慷慨扭斷自己胳臂，
敲響前進的鼓鼙。
更將自己頭顱
從脖子上連根拔起，
去撞響革命的洪鐘，
要使普天下的頑者立，懦者起。

你們曾用血戰後殘餘的手掌，
撫慰那負傷輾轉的民族大地，
沾滿一掌的中原號哭啼泣，
一掌九州的夜色，血泥，
四萬萬人，絕世的辛酸，無助的悲戚……

你們一同倒仆在
中國第十個起立的姿勢中，
傾瀉一生血淚，付予海棠一哭，
引領著三江起怒濤，五嶽騰風雷……

讓後人再三精讀你們
來自百年苦難去向千重炮火的身影。
讓後人帶淚高歌民主春色中
起向高樓撞曉鐘的，你們不朽的碑碣。

永生不朽的國魂呀，
日星可以碎隕，崗陵可以崩爛，

但你們染血的英名，永譜汗青。
若天衢還有奔掠的響雷，
便是你們萬世忠憤永不休歇的音籟；
若地脈還有清泉的迸湧，
便是你們無盡愛心的傾洩，要使
一葉秋海棠，萬古長青！

七十二星沉曲

七十二盞燈，顯示在華族的子夜裡。

那時，山河暝晦，秋海棠的葉脈上正飄注著風雨。天空的臉，懸著愁苦，日月緊閉雙睛，不忍看噩夢之群匯溶成魔風妖雨圍攻古典的大地。數不清的生命僵凍、戰慄著，看不見霓虹的流影，聽不到鳳凰的音曲。多少孤劍徘徊，痛憤邊戎，博得同情熱，引起書生雄談，英豪振臂，壯士飛揚，卻總是寒風慘節，朔氣裂旗，無限歌哭上心頭，華族榮華空眼底。而七十二盞燈亮起，拚把青春完囊志，英姿颯颯死如夷。

「男兒死耳果何悲，斷體焚身任所爲；寄語同胞須努力，燕然早建蕩夷碑。」

・　・　・

七十二盞燈搖曳著，導引行人在風雨中。

那時，風雷大地，霹靂聲雄。所謂君主立憲，何異枕上蝴蝶夢，華國西風殘照漢家陵闕，換來多少志士忠憤亙長虹，國是眞傷幾輩聾。卻引起七十二精英人雄，肝腸百鍊爐中送。河山風雨，血幟迎風，霜凋夏綠，雹碎春紅，五羊城人影倏忽，戎馬倥傯。馬蹄，旗風，火把，黃鐘，熱血如焰能溶鐵，劍氣橫空欲化虹，奮舞猋犇，懷獸革歸屍之願，縱橫衝殺，聲威匯做海潮轟。大刀，血影，煙焰，人雄。身化嶺表松柏更鬱葱，死生一樣同。

「奮走風霜轟逸氣，悲歌涕淚泣奇窮；撫心常抱千秋恨，得志當爲一世雄！」

・　・　・

七十二盞燈在飛馳，飛馳在神州風雨裡。

行歌賦同仇，呼嘯以捐頸脰，掌搧千軍，拳摧萬敵。爲國展力，氣壯江濤，欲指顧攙槍靖掃，引發洪波大地起。臨凶若吉，死甘如薺，精神意志，日月星辰同麗。兵戈戰馬，奔號鳴笳，五羊城血染春泥。淚渥黃花如繡，腸斷綠草淒迷。遍灑碧血，捲透英風，最是前仆後繼。盡擲頭顱，千載猶作，眞使神欽鬼泣。

「黃花共醉不須疑，腸斷秋聲事可知。」「破國亡家徒有恨，赴湯蹈火義難辭。」

・　・　・

七十二盞油盡燈枯在荒原上，卻贏得旭日鏘然而起，紅霞滿天。

爲著讓那數不清的人們効法他們「君等猶酣臥耶？今時何時？吾屬無死所矣」的革命覺悟。

爲著新一代効法他們「國家危辱如此，雖處生世上，亦有何益」的革命決心。

爲著全新崛起的新生命効法他們「甘受至苦極痛」，「爲全國人民謀一生路」的革命抱負。

爲著新歲月湧動的人潮効法他們「以聖賢之心，行英雄之事」，「大義所在，死生以之」的革命志節。

他們便了不牽顧埋魂幽石，委骨窮塵，讓染血的英名碎裂在異族的馬蹄下與鋼刀上。

「臨行握手莫咨嗟，小別千年一剎那；再見卻知何處是？茫茫血海怒翻花。」

・　・　・

七十二盞燈，埋地成不滅的青燐，昇華爲不朽的星日。

照汗青以一寸丹心，揚英名以不世肝膽，當骨血還諸天地，精神生命，焜燭史頁爲不墜的英雄傳統，在兩造正氣裡，鷹揚人性芳馨，曾是「是役也，碧血橫飛，浩氣四塞，草木爲之含悲，風雲因而變色」，使「吾黨菁華，付之一炬」，卻贏得眞理昂首而來，自由拍掌而至，不半載而武昌之革命以成。

啊，看滾滾黃河怒濤，流不盡中國無數青年無量血，望靄靄華嶽雄峰，聳不墜輝煌人性的自由民意自由魂。

從孤劍徘徊，悲中原之戰馬，到今日彩筆縱橫，痛故國的啼鵑。英雄啊，長願你們安息。

黃花岡上路，一顧一沾巾。黃花開，黃花落，斯人一去不復回。

「一腔熱血千行淚，慷慨淋漓爲我言：『大好頭顱拚一擲，太空追攫國民魂』。」

卷十一 風雨中的國魂（詩集）

四十五至四十六歲作品
民國六十七年獲國家文藝獎
前總統嚴家淦先生頒獎
六十七年，水芙蓉出版社印行
全集四十六首詩，選詩十一首

風雨中的國魂

引子

是紛飛如霰的爆彈，浩蕩成江的淚血，揮灑出中國抗戰的畫面。是鯨鼓焦雷的激烈，大旗怒馬的奔動，交響爲中國抗戰的樂章。是關河曉角的警厲，天地浩氣的凜冽，醞釀爲中國抗戰的情氛。是壯歌風播，碧血江匯，毅如鬼雄的壯色，重如崑崙的肝膽，構結爲、凝聚成、顯示出中國抗戰偉大精神的永生！

漫長夜以八年，痛轉戰於萬里，五倫拋殘，國魂熛起。迎搏鬥的年代，勵自強的歲月，禦侮聖戰，血史千秋。而回首歲華，已去四十，策勵來茲，何止百年？是乃不辭揮筆一如運劍，潑墨一如灑血，冀能留下當年大戰之際，我軍民同胞飆怒的旗風，虹流的劍采，抑且是藉昔年碧血的舊蹟，示我當今愛國之期許也。雷韻以鼓舞壯志，題材以烹煮熱血，敬爲今我同胞共相勗勉焉。又，戰史所示，當年壯績，何止萬千；而今所引據而付諸吟詠者，未及百一，蓋篇幅所囿耳。

大刀隊

民國二十年九月十八日起，日本軍閥即在我東北四省挑衅不已，並陷瀋陽、佔安東；我遼、錦等地相繼失守。其後兩年，我吉林、黑龍江、熱河等省亦次第淪陷。

二十六年七七事變，啓我全民族禦侮聖戰之序幕。越月餘，八一三滬戰起，我華中第三戰區之第五軍與日寇慘烈戰鬥；當時上海已是秋涼天氣，閘北江灣一帶，霪雨不絕；戰壕中水深及胸，我軍與敵寇混戰不絕。尤其至夜晚，伸手不見五指；短兵相接，實在敵我難分；我軍健兒乃毅然相約脫掉上衣，赤膊上陣，手掄大刀，向陣地、戰壕摸索；遇上身無衣的便撲背爲號，碰到穿上衣的，揮刀就砍；就這樣把寇兵殺得落花流水，日寇銳氣全消，且把閘北戰場稱之爲「血肉磨坊」；我「大刀隊」之聲威，使敵喪膽。

中國東北方的詩句，一句句

都飄搖在山河風雨中了，

戰爭大踏步而來，

一腳踏在

我們大刀隊的刀口上……

跑彈說話時，

熱河告急，平津搖動。

衝到閘北戰場的倭兵，

只感受到

劍影鷹揚，刀光電抹，
千人頭落蕊飛紅，
遍地是華紅如醉……

大刀啊，鋒刃如月，
大刀啊，雪鍔威凌。
大刀隊，光寒秋水，
大和魂，風雨淒愁。
加茂川，聞腥風而皺面，
富士山，映刀光而白頭！

八百壯士

民國二十六年十月二十六日，我軍奉命退守眞茹。謝晉元率部八百健兒掩護轉進部隊，入閘北四行倉庫大樓，瀕河負固，據以死守。敵集大軍侵逼之，火彈仰攻，且以平射砲摧擊，每秒鐘必一發，又遣飛機凌空掃射擲彈。我軍浴血奮戰，亙四晝夜，殪敵甚夥，史稱「八百壯士」。

劃然一聲逼人的長嘯，

戰神，從砲聲裏昂然來了，
　啊，軍刀躍出長鞘，子彈逸出槍膛，
胸中熱血怒如潮……

　蛇一般的仇恨啊，
咬噬著跳躍的心臟，
八百孤軍含悲生憤，
同抓起雪恥復仇的信念，狠狠地
塗在誓死的臉上。

弟兄們！
緊握瀝血的白晝，
也緊握著喋血的夜晚，
從心中升起我們的旗啊，
看它在瀟瀟血雨中飄揚！

我們呵氣爲亙空的戰雲，
　叱咤起天地正氣，

讓染血的英名，
張開劍翅，
高飛——
棲息上壯麗的秋海棠！

獅醒

「絕似晴空驚霹靂，盧溝橋畔風雲急，敵騎縱橫笳角起，刀影裏，血花飛濺頭顱碎。
地北天南千萬里，男兒報國今何計？休灑新亭閑涕淚，祈戰死，葡萄酒向沙場醉！」
（盧溝橋風雲急矣！寄調「漁家傲」。見「君左詩選」）
盧溝橋日軍非法演習，藉口士兵一人失蹤，要求入宛平城搜索，時在夜晚十一時四十分，經我軍拒絕，日寇乃以砲轟擊宛平縣城。血淚狼籍，繁華消歇。我駐軍吉星文團長即率部奮起抵抗。

流燄驚散了涼夜星光，
砲彈炸傷了盧溝曉月，
永定河，嗚咽著
匆匆向遠方逃亡，
橋上，七十二隻石獅子

浴入隆隆飛爆，迎風奮鬣。

仇恨被緊釘在無辜者的心頭，
　怒眼中，滾燙的淚，無言的屈辱。
啊，殺聲湧起世紀的風雷，
　碧血江匯，壯歌湧發，
我守軍已用完了最後、
　最後的一滴堅忍與緘默。

刀光彈痕，橫飛的屍屑；
　荒煙野石，拋殘的戰骨。
大橋橫，江波闊，
　狂飆肆虐著，漢家城闕。

迎著滔天炸片，淹江鮮血，
　赴敵健步，張成后羿弓，
　耿耿丹心，怒爲射日矢。
永定河啊，一條被血染透的衣帶，

緊繫著「七七」聖戰中全民的同心結。

筧橋禮讚

民國二十六年八月十四日，日寇轟炸機群侵入我空軍基地筧橋，我空軍首次迎敵大戰，凌厲奮邁，擊落敵機九架，造成九比零的輝煌戰果。同日，我空軍出動，轟炸日寇旗艦「出雲號」，在波濤雲雨間，吾武維揚。翌日，日寇大隊機群首次空襲我首都南京，被我擊落六架，飲恨成毀。

振長風的健翮，起落大地，
燭照寰宇，以日月的雙瞳。
「摶扶搖羊角而上者，九萬里，
絕雲氣，負青天」……
憑雙翼，一沖天，
鷹揚虎賁的筧橋精神啊！
鐵的行伍，鐵的威聲，
頃刻千里，縱橫於藍天的曠原。

摘富士軍魂如瓜，
墜旗上太陽如花；
更抓起彈丸三島，
搓碎成一掌黃砂！

經過鐵的訓練，
在鐵的隊伍裏，堅定鐵的信仰；
閃亮的劍翅，狂烈的雷彈，
灑掃萬里，淨化長空走廊。

邀日月遨遊，駕風雷起落，
鋼鐵的身心，黃金的翅膀，
縱橫掠天，雄姿英發，
彌天歌唱，怒化爲霹靂奔揚！

血成薔薇

「滿江波色駭人紅，猛火依然罩浦東。百戰精華成血債，萬雙怒眼對腥風。」「淒風苦雨上船時，忍見春申換敵旗；四十萬人流熱血，明年焦土又新枝。」——此為筆者幼年所誦先君子亦民公手抄抗戰詩稿也。

民國二十六年九月二日，吳淞沿岸日寇被我軍全部殲滅，八日，淞滬日寇增援而向我總攻。二十九日，淞滬全線激戰，日寇四次總攻慘敗。中秋節薄暮，民族詩人于右任於黃陂道中見傷兵，有詩句曰：「……轉詬人間愛賞月，不知敵機乘月傷吾骨。明月闌，吾骨酸，明月殘，吾骨寒。……」因作傷兵詩。

血成薔薇，血成薔薇，

飄蕭的薔薇。

他的歌兒很冷，脈搏已式微，

意象中有焦土擴大，風景破碎，

他心裏那枚受傷的夕陽，緩緩地歸……

血成薔薇，血成薔薇，

悲哀的薔薇。

生命的岡陵龜裂，海嘯已累，

意象中的旭日在倒飛，梅花都成淚，

他心裏那片蒼茫的暮色，冉冉地垂……

血成薔薇，血成薔薇，
永恒的薔薇。
一枝空一枝燦爛，一番碎一番完成，
意象中的秋海棠在風雨中雄飛，
祖國在他永恒的創口上，大放光輝！

太原會戰

民國二十六年十月十三日，敵酋板垣征四郎，指揮所部約六萬之眾，猛力攻我忻口陣地。因兩翼有五臺山及寧武山區爲依托，乃以中央突破戰法，集中全力，以飛機、重砲、戰車掩護步兵，猛攻我西北側陣線之南懷化高地；我軍喋血力戰，空砲協同，陣地失而復得；肉搏衝鋒，夜以繼日，激戰亙半月之久，骨山血河，殲敵兩萬人，造成華北戰場大舉創敵之最高紀錄。我第九軍軍長郝夢齡及五十四師師長劉家麒、旅長鄭廷珍，於是役中壯烈殉國。是爲「太原會戰」之一環。

居庸關用山岳的巨齒
咬碎了頑硬的大和魂，之後，
平型關的血花，便朵朵開向
壯烈的忻口戰鬥。

當雁門關失去雁陣，
當陽方口失去陽光
在崞縣白刃鏖戰中，
受傷的日本軍魂，奔竄落荒……

憤生鐵血三軍氣，
力遏江河萬里流，
太原啊，百戰孤軍，寫下了
山般重的英雄肝膽，
海般闊的壯士胸膛，
鐵血煌煌，天地蒼蒼！

打碎他們旗上的太陽，
只留下入侵者的血
化做，殘雲，流散……
斬斷他們「速戰」的迷夢，
看他們，拖著血淚的碎片奔竄。
啊，淋漓大筆，勒銘關河——

「莫遺沙場匹馬還！」

砲　兵

讀「抗日戰史」第二十七章所載「我砲兵進入陣地圖」有感而作。

誰給砲彈以翅膀？
誰給戰爭以歌唱？
啊，「預備——放！」
那口令剛一落地，便有沖天巨響，
看萬道火雷頃刻拍醒千山。

鐵立的巨砲，怒挺著胸膛，
它深邃的冷眼緊盯著遠方，
一種撼風雷、震天地的神威，
寫在它堅毅的臉上。

擲一聲吶喊，即消滅一個馬隊，
一個叱咤，即斷落了和平女神淨潔的翅膀。

今天，戰爭啓口，天下緘默，
長空下，軍旗烈烈，飄風發發，
每一個砲兵都是一顆含怒想飛的炸彈！

痛哭南京

民國二十六年十二月十三日，國軍退出南京，政府發表通電，繼續抗戰。日寇揮大軍蹂躪京都，縱大火燼我繁華，武士刀屠我無辜，兇殘恣意，無惡不作，即日間我婦孺老弱輾轉慘死於其獸行者，達十餘萬人。婦女被強暴之後，割去乳房，任其裸臥地上悲痛呼號，而獸兵相顧為樂。有看到當時敵人暴行照片後，憤歎曰：「觀此而不動羞惡之心、無雪恥復仇之志者，非人也！」

腥風的長鞭抽揮中，
無數骨血冤魂在昏黯的天空裏飛游，
路哭悲切，彈火明滅，家國方秋。
浩浩烽火旋舞著生靈無數，
河山大地，都付給風雨孱僽。
鐵封衢道，血淹繁華，

歷史名城，哭暈在大地懷中。
艱難歲月，淚盈襟血，
數不盡日子憔悴的顏容。

自由揮淚泣別了大地，
眞理都付予蒿萊；
暴亂噬咬著歲月，
兵燹狂焚著時代；
啊，你死了幸福的白晝，
你僵凍了溫柔的子夜啊，
你何時歸來？

南京，被釘上十字架，
一代名城被推上斷頭臺；
崢嶸的刀山，燃燒的火海，
城頭上，一枚淒涼的落日，
以帶血的眼球
悲涼四顧，浩歎生哀！

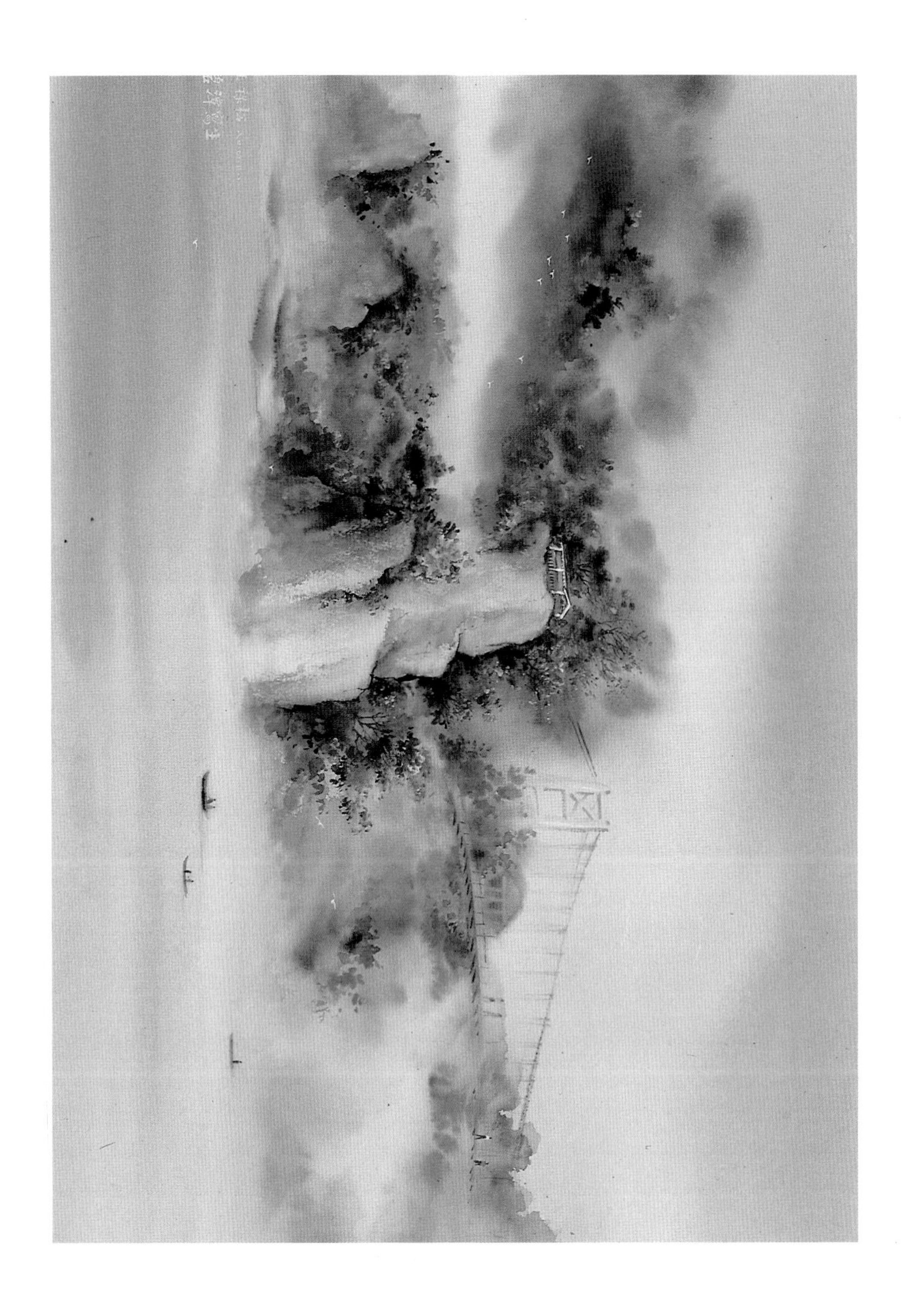

染雲

染雲為柳葉，
剪水作梨花。

宋・王安石句寫意

南嶽軍事會議

自盧溝橋七七事變起，至武漢會戰完結，歷時十七個月，爲抗日戰爭第一期，其間又分三階段：自開戰起至退出南京止，爲第一階段，此後至徐州會戰完結止，爲第二階段，及至武漢會戰完結，爲第三階段。本期爲：以空間換取時間，消耗敵人實力時期，計先後共殲敵軍七十餘萬人。二十七年十一月二十五日，我軍在湖南舉行第一次南嶽軍事會議，爲作戰之長遠計劃檢點與策進。

南嶽風雷，狂飆絕巘，
啊，在峰巒青色的呼吸裏，
綰繫著一個燃燒的軍魂，
鐵血中國，在這兒翹首新生！

我們把晨曦一般燦爛的希望
與黃鐘一般鏗鏘的信心緊握，
更緊握著
肝膽英雄的、鳶飛虎躍的明天；
歷十七個月，大犧牲，大搏鬥，
千年醒獅，在血海中昂立長鳴！

持久戰！消耗戰！運動戰！磁鐵戰！
貞骨崢嶸爲嶄新的嶽峙，
碧血雨匯爲浩闊的淵渟，
我們的歌，要把
　櫻花三島唱成灰燼，
唱到富士山高舉其生命之杯
　飲盡他滔天的暮色與淒涼的晚景！

南嶽風雷，狂飆絕巘，
我們行將見到櫻淚三島的新月結冰，
我們行將見到太陽旗上有落日冬眠。
啊，在河山風雨中，我們
化萬峰爲巨拳，
錘鍊出壯麗晴朗的明天！

克崑崙關

「歲暮克崑崙，旌旗凍不翻；雲開交趾地，氣奪大和魂。烽火連山樹，刀光照彈痕；

但憑鐵和血，胡虜安足論。」此爲我軍將領邱清泉在前線所寫的克崑崙關詩。

時民國二十八年，我爲反攻南寧，乃於冬季集結大軍十五萬人，飛機百架，以第五軍爲主攻，冒彈雨腥風，直指崑崙關。此爲我軍自抗戰以來，第一次以步兵、戰車、砲隊、飛機協同作戰，與日寇之戰力與裝備，平等敵對。戰幕啓，我軍即猛氣如呑，冒矢雨佔領諸重要高地，取得瞰制敵勢之利，前奔赴敵，勢如破竹，敵人伏尸盈野，其中村旅團長以下八千餘雄兵烈馬，全數一死了之。是役爲「桂南大會戰」之一環。

中國軍魂猛然展開了火的翅膀，
　直指崑崙關……
啊，炮火播一地燦爛的星子，
　沖霄巨響裏，骨肉濺潑，
　　大和魂鐵面凝霜。
　刀尖滴血、旗翅飄火的
大仇恨的日子蛇立起來了。
　軍靴疾奔，馬蹄狂掃，
　一灘灘血泥激迸飛揚。
中國軍魂，在此譜上銅琶鐵箏，

唱大江東去，傳三島歌哭。
雄關峭，大河橫，腥風浩蕩，
滔滔東逝水中，
櫻魂鵑血，東侵的迷夢，
化做蛺蝶與旗灰飛揚！

前線．待發

棗陽、宜昌之戰，史稱「棗宜會戰」。時為二十九年五月上旬至六月下旬，壯烈戰鬥亙十六晝夜。大戰結果，敵人死傷計四萬五千餘人，我獲敵砲六十三門、戰馬二千匹、戰車七十六輛、汽車四百零七輛。為擴大戰果，我三十三集團軍向大撤退之日軍猛然阻截，總司令張自忠被創十餘彈殉國，舉世悲而壯之。

在前線，我軍集結就攻擊準備位置，萬人銜枚，雷彈待發。因成吟詠。

推上膛的一顆待射的彈，
搭上弦的一支待發的箭，
啊，是如此的寫著
大雷雨前長空遼野的啞寂，
大演奏前千曲不歌的靜謐。

看，戰爭小睡在準星尖上，
眼輕閉，唇微張，
夢著凱門壯麗的召喚。

而遠方，
槍聲肢解和平；
似海潮般呻吟的，
是山河大地流血的聲音。

發起線上，大軍魂在燃燒，
怒眼萬雙向腥風穿透；
我們把凝固的時間握成一個鐵拳，
握成一個急欲躍起的砲彈！

待發隊是
「留亦未曾留去亦未曾去」的
一隻獅子，欲咬噬顛落的櫻魂，
是一首未唱的帶怒之歌啊，

它即將唱響鳶飛魚躍、
　排山倒海的明天！

傳令兵

某戰役中，戰況危急，我軍遣一少年傳令兵攜密令一紙，冒險越過敵人封鎖線以傳達軍情。當其狂奔疾越過鐵絲網時，爲敵砲火所傷，足斷不能行，遂被執。傳令兵被俘後，敵人套問口供，然百問而無一答，鞭打亦不呼叫，最後，敵人將之槍決，終不能得其所傳軍情。原來，他在情況萬分危急時，已將那紙密令納入口中，因那紙密令綰繫著整個部隊的命運。緣此，作傳令兵讚。

傳風雨於千里，
月色下的將軍令，
他的腿，裝上了三十萬匹的馬達，
甲乙兩點之間的一支箭。
怒髮借給風聲，
身影借給地平線，
握軍令以縱橫，延軍魂於千里，

他射出去了，過程如一條燃燒的彈道，
他是一顆永不會回頭的子彈。

他狂奔成一面旗，
他狂奔成一支槍，
日月星辰風雷雲雨河山大地
　向他的身影跟進，
他的心是一片洶湧的海，
他的影子一如逃亡的天空。

越不過封鎖的死線，
便即莊嚴的、無語的、悲壯成
一個國殤。
血入黃泉而碧，
魂映白日而寒。

守密的智慧，與精神同成不朽，
萬年戰史萬年香！

青年軍魂

民國三十三年，我緬北遠征軍在胡康河谷殲滅日寇一個聯隊，並在觀音河將當地日寇大軍全部殲滅。三月，我軍深入孟拱，攻佔拉班，大舉橫掃緬北之敵，揚威孟拱河谷，進據蘭康加，佔領考黎，摧毀泰格拉米陽。八月，衡陽城郊空前血戰，南國地區多行淪陷。由於國難日亟，十月，知識青年從軍，「一寸山河一寸血，十萬青年十萬軍」，一時風起雲湧，同德一戎衣者，達十二萬餘人。慕仁嚮義，風雷激盪，我華族軍魂爲之一振。

飲黃河的熱淚，
　獻中原以碧血；
十萬片青春飛躍，
　化做互霄的霹靂。

把怒眼交給烽焰紅如醉，
　把耳朵交給槍砲聲如裂，
把染透了血淚的英名交給汗青，
　把生命獻給百劫中的祖國。

血的宣言，淚的嘯歌，

慷慨地，湧入莊嚴的史頁；
年輕如蓓蕾的生命群，
向風雪中發掘早春的消息。

不屈的戰堡處處，
憑青年的肝膽築起；
如雷的戰曲，唱啊，
三江亙地而流，五嶽穿雲而立。

聽大地血海怒鳴，
看中原纍纍戰骨。
十萬雄心，迎風飛躍，
共擎著青天白日！

號手

閱「抗日戰史」中第十七章所載圖片「中條山中我軍營區圖」，有感成詩。

喚那啓明星跳出東山，

他憑號角，挺立高岡，
用臉
把天地照亮。

雲峰箇箇伸頭看，
他駐足處，
曉色輻輳成堆，
一列亮麗的音符飛躍。

只緣他的發音——
群山牽手而來，
綠水翩然而至。
只緣他的發音——
兵馬騰沸。

慷慨地浩飲曉色，
咬住燃燒的太陽，
他如一朵甦醒的蓓蕾。

血奮

「叱咤揮刀血雨酣，兩軍生死決湘南；陣雲慘淡江流怒，狡兔驚心虎視眈。」湘南大戰中，腥風碧血，掠野橫飛，兩軍酣戰，河山為動。

我某陣地勇士，戰鬥至四肢被刀彈毀斷，血肉模糊，僅餘一隻右手。經擔架隊抬至軍部時，他猶大聲呼叫說：「軍長！我不要住醫院，我還有一隻手，請給我一挺機槍，抬我到前線殺日本鬼子去！」諸將領不禁為之動容，失聲下淚。時有詩人揮淚以詩紀之，詩曰：「斷脛猶能輕死生，要憑血肉作干城；裹創忍下精忠淚，贏得將軍共失聲。」

肝膽上五嶽並峙，
　血管裏黃河衝盪，
脈搏跳著四億人的悲憤，
我用呼吸去燃燒沙場。
　砍落了我的手，
卻砍不落我昇騰的戰志；
炸斷了我的雙腳，
　卻炸不斷我勇烈的行動；
黃河的水流不盡，

我戰鬥的力量用不完！

崢嶸刀山是我的衣架，
沉吟血海是我的浴缸，
死亡做伴好歸去，
永生是我靈魂的故鄉！

還剩有一隻手啊，軍長！
我可以擎天，可以撥雲，
還剩有一隻手啊，
我要摘落那賊旗上的太陽！
黃河的水流不盡，
我的力量用不完！

狙擊手

觀戰爭紀錄影片「中國的怒吼」，內有我守軍狙擊來敵，而以火柴棒計算殺傷之數目者，有感而作。

戰爭在他的準星上戰慄，
因爲，任由你
縱身一躍三千里，騰腰已過萬重山，
也仍躍不出他的準星點，
他是狙擊手。

只要在射程之內，
便已在掌握之中。
像一朵憤怒的錦葵緊咬太陽，
他用槍口咬住那目標，掙也掙不掉，
他是狙擊手。

從瞧門通過準星到目標——
他的瞄準線是
　入火不熱入水不濡的一柄鋒稜神劍，
像一個箭步而俯摘一顆人頭，
他從容收拾那目標，
他是狙擊手。

取太陽血淋淋的心臟，
掏月亮白花花的肚腸，
只消一排子彈。
啊，你看，他舉槍瞄準，
目標便迅速地將自己交給死亡，
他是狙擊手。

南天一戰收功

湘西會戰，時爲民國三十四年四月上旬至六月上旬。敵以十萬餘眾進攻湘西，然各路皆爲我軍所擊破，第一線兵團多爲我所殲滅，其後軍龜縮不能復進，此一會戰，斃敵萬餘人，俘敵萬餘人，而爲我游擊部隊及地方民眾自衛隊所殺傷者，更多；所謂兵敗如山倒，敵人攻我湘西之役，死亡在半數以上，是最慘烈的一次失敗，抑且爲我們自抗戰以來最輝煌的一次大捷。至此，我軍勢如破竹，有日克百城之概，至八月十四日，敵人正式向我投降。

我國接受日本投降，收械日軍步機槍七十七萬六千一百餘枝，火砲一萬五千餘門，戰用車輛一萬六千三百二十輛，馬匹七萬四千一百五十九匹，飛機一千零六十八架，艦艇船舶一千四百艘，並將已繳械之日軍日僑二百零三萬九千九百七十四人，悉數分批遣送回其日本本土，用以德報怨的精神，結束此亙古未有的大戰爭。

白馬山，山與山挽臂成城，
梅江曲，水與水攜手成塹，
　任頑敵狼奔豕突，八攻湘西，
依然是關河萬里，
　煙滅灰飛了長征遠戍的倭兒跡；
依然是大塊茫茫，
　星沉電滅了揚帆入侵的大和魂。

啊，滾滾芷江、巫水，浪淘盡
　無數寇跡無量血；
巍巍茶山、武岡，看頑敵
　伏屍千里，鐵劍光寒；
沙場怒放奇葩，
總是大軍血蛻成。

八年來蚍蜉撼樹，是誰人
　灑血付萬古江流？

還看我軍，馬蹄得得，快意恩仇，

　半壁天南一戰收。

今而後，有紅櫻年年泣血，

　加茂川下淚，富士山低頭。

哦，說什麼神鞭驚海石，

　向江南立馬吳山巔，

驚心濁血，萬骨拋荒，痛哭大海頭。

櫻泣月，蛩啼秋，

　蕈狀雲，結遠愁，

收了吧，曾是鯨吞迷夢的魔影，

二百萬軍民，四百萬行淚，

何事苦淹留？

聽列國雄談怒罵，激情慷慨，

莽神州，五千年高樹笑蜉蝣。

德以報怨，仁以答暴，

雷霆聲威萬古，
　霖雨恩澤千秋。
啊，容我拍詩魂長歌，
　乾坤百劫，山河風雨，
總贏得中華兒女，
碧血淋漓，姓名燦爛，浩氣長留！

戰馬

奔騰行萬里，氣勢貫長虹；
天外忽飛來，將軍立戰功。（古詩）

我長鬣裏藏著雄風的激流，
我巨蹄間繫著雷霆的音節。
太陽飛吻我犇馳中的尾毿呀，
是十萬道流火閃電的編織……

每當戰爭暴跳著追趕我的腳跟，
我的蹄花，朵朵開盡勝利的輝煌。
啊啊，我用長嘶聲，串起亮麗的戰火爲花環，
掛向祖國的鬢邊，套向歷史的頸項。

不戴鋼盔，不披鎧甲，
就這樣赴戰，慷慨地嘶喊……

餓了，呑嚥幾片夾有陽光的大草原，
渴了，張顎痛飲萬里長江。

而當我的疾蹄像鋤頭像弓箭般在大地上奔放，
我也是農夫：用血和火收刈英雄的豐年；
我也是獵者：在槍林彈雨裏，狩獵勳章。

騁

便成疊的風景也鏘響在蹄聲裏了。
路，仰飲著戰爭，
秋染馬鬃，旗扶落日，劍迎關河，
大時代被握在手中。

馬瞳裏竄動著草原片片，
而勇士憤怒的眸光，炯亮成劍，
凌動的歌聲給予長風啊，
倥傯也是一朵風景。

而快蹄踐踼起一路秋色，濺起血泥。
且看如虹的童話也龜裂了；
馬背上，凝著一尊戰神，
凝著重頓的沉勇。

啊，東南西北，星散了大好山河，
誰能不使英雄腕下的寶劍悲歌？
胸中血，呼喚著劍上霜，是一路嘯聲漣漪了青史，
萬里河嶽，一羽遐思。

樂器

也是一種樂器，但不同於豎琴、銅角、鼓鈸，
它有低音管的長度，而大小超過長笛。
當韓德爾樂隊首創定音叉，意大利人新造出鋼琴，
這種樂器已經參與酣然的演奏，在十八世紀。

但華格納在立陶宛、布拉姆斯在漢堡、
李斯特在巴黎的龐大演奏中，沒有它的蹤跡；
而貝多芬的萊茵河畔，那天才的拿破崙，
的的確確演奏過這種樂器。

浪漫主義的熱流呀，民族樂派的狂潮呀，
以及華格納的「魔火音樂」、杜褒西的「死的淨化」、
以及「嬰兒車」、「白孔雀」、「火鳥組曲」、「春的祭禮」……
無不受這種樂器的精神影響，把創作的風格奠基。

而在中亞草原、在維也納森林、在巴爾幹半島、
在天、在海、在平漠和高原，都能演奏這種樂器，
然則蕭邦不會、巴哈不會，韓德爾、莫札特和海頓都不會，
因爲他們不懂從照門通過準星尖，演奏時需要扣板機。

神遊

舊遊懷碧落，
長嘯對青山。（古句）

昨夜，我仰臥草地，
背上粘貼著地球，
便覺得，像是神話中的人物，
輕輕的，我馱負著……

馱負著整個龐大但輕如絨織物的地球，
我張開兩臂如翅，
在太陽系的軌道上，
緩緩地飛……

孤獨的，緩緩地飛啊，
不久我便脫軌而去，背著我心愛的地球，

從這顆星歷旅到那顆星，
從一朵雲叩問向另一朵雲。

在炬火般的星群和碧琉璃般的天風之間，
我橫銀河爲腰帶，擷七星爲頭飾，
輕輕抖落臂翅上的星霜與珠露，
將寶瓶星座，繫成我精緻的踝鈴。

哦，我謳吟，以輕金色的聲音，
看星群顫動，且從他們的夢裏墜落；
它們耀如鑽石，逝如流彈，
相互撞碰，叮咚沉墜於太空的海洋。

而高飛入繁星之港，我像走進了閃爍之宮，
眾星圍我而舞，唱起天籟之歌，
它們贈我以瑰麗的顧盼，
灑我以璀璨的華彩；
並爲我引路，採到了童話如虹，

且看嶄新的星辰初成，有如白色花朵的綻放，
還有奇異的雲的建築，風的城塹，宛如琉璃的夢；
四圍是蔚藍的天壁，俯瞰是如麻的仙子鄉。

直到我倦了征翅，斂了征歌，
才從九霄，坐流星的飛碟、翩然賦歸；
當天色破曉，我回到原來的軌道，重回人間，
這時，多翅的朝霞，已空運回輝煌的太陽。

山

虯髯縱橫，鬚髮蒼鬱，顏面斑駁，風骨嶙峋，
山啊，
在天地玄黃，在宇宙洪荒，在少女的雲，在童年的天，
在萬物孕育之中，在人類的想像之外，你已
悄、然、誕生！

歷經
洪水與原獸的摧殘，焦雷與狂飆的肆虐，
你依然。
歷經
火岩與焰漿的焚劫，風雨與寒暑的荒蝕，
你依然。

依然、戎衣一介，神采矍鑠，丰姿英特，
依然頭頂著絕壁巨崖，

肩披著森林岩石，
懷抱著礦脈萬頃。

而任頭上掠過莽雲荒鷲，
將風雨埋葬在腳下，
豪邁地揮出手勢，
揮出
晨曦、落霞、孤鴻、雁陣……

時而，你
披戴薄霧的面紗，
揮彈瀑布的箏琶，
以曠古的緘默示諭天地的蒼浩。
時而，你
壓巨影於汪洋，使明波暗盡，
撥開雲霧，昂首向 天外的天外的 天，
阻礙了流星飛虹的前程，牛斗的通路，
使黃昏膽怯的新月，悄悄改道運行。

時而，你
掬飲朱霞，狂呑落日，舉起
蒼然的巨擘，浸盥銀河，採擷星斗，或
朝探碧落，撫弄萬古的煙雲……

你妙相尊嚴，趺坐大地的胡床，
數歲月往來，無語看人間忙碌，
坦然對機中藏機、變外生變的人寰，
啞然失笑，而
意態揚揚。

你將每一草葉、每一枝椏、每一花葩、每一蓓蕾、
化爲永恒生命明滅無常的光影。
你將每一曲根的榮枯、每一蟲鳥的嚶鳴、每一涓埃的游移、
編爲生的構成、靈的延續、時空運命的興替與消長，
啊啊！一如
漚生大海，影滅長空，是你所
視若無睹聽若無聞的萬彙喧鬧；

甚至，狂飆年代的
每一砲手的奔放，每一旗手的飛揚，每一歌手的謳吟，
都在你腳下。
每一科學的吶喊，每一戰爭的暴跳，每一思潮的激盪，
都在你眼底。
而智識爆炸著，火藥煥怒著，風雷奔馳著，啊你
雖曾遍體鱗傷，卻是
年年綠意無邊，
恒永的健朗啊！

虬髯縱橫，鬚髮蒼鬱，顏面斑駁，風骨嶙峋，
山啊！
健者的坦然，詩人的靈秀，哲者的沉默，山啊！
智者的風貌，仁者的襟懷，勇者的塑像！

颱

氣象台看見了，看見了，
收音機顫聲相告，
拍著垂天巨翅，
颱風從天外來了，從天外來了！

城市睜著灰色的大眼，向遠處眺，
鄉村連皮帶骨躲入了樹叢，心驚肉跳。
一陣死寂，嚇軟了曠野的頑石與草卉，
大地板著面孔，眉宇間凝鎖著緊張的寂寥。

先是一陣飛矢似的雨條朗硬無比，
繼而一股灰色氣流淹過宇宙的腰，
像巨型的始祖鳥，那颱風倔強的把翅一招，
啊啊，只見天文驚飛，地理狂搖……

被吹歪了，那高山的頭；亂了，那海的步調。
宇宙在放聲大哭，人間日月顛倒，
烏雲張喉吐盡了珍珠，江河飄長著衣帶千條，
湖泊是淚眼迷離，森林在披髮長嘯……

太陽熄了，天空被狂撕成灰鳥的碎片，
那地軸被連根拔起，地球的經緯線亂了，斷了。
許多洲島被吹疊在一起，驚惶地相抱，
地球浮在太空像一枚水泡，可能已脫了軌道……

……可是，只一袋煙功夫，像是誰
擦一根火柴又把太陽點著，
颱風竟然溜了。
僅此一陣子，誰能信，迎面惠日和風，聽到歌蟲鳴鳥……
呀，威猛者，力易窮；先盛者，消獨早。
葉底可尋到燦爛的奇花，
原上還留下青翠的勁草，

王祿松
59

湖岳

我是南來一鐵漢
洞庭衡岳一肩擔

民初・南雨田句寫意

颱風，只沖淨了天翳與地垢，汰盡古舊與朽老，
大地，依然是永恒的大地，只損了些兒皮毛。

氣象台，欠欠身腰，
收音機，朗聲相告，去了，它去了！
大地處處，救災情，歡聲爆，頹垣上將有幢幢新貌。
抬望眼，有鷹隼在晴空溜冰，
鷹隼，像劫後的心靈，歡躍奮飛雲天高！

鷹　譜

怒縮健獷的奇爪，
揮舞鋒銳的劍翅，
飛啊！我是
天宇額前的一隻鷹。

以鐵青的翅刃，劃破
千年凝碧的蒼穹；
以潔勁的聖翎，輕拂
萬里雄飛的莽雲；
要將天空的皮殼，撕成紛落的碎片，
把驕橫的旭日逐向天邊！哦，
我的鐵啄隨時可俯衝而下，
啄掉任何一個湖泊的眼睛……

飛啊！

高起，奔放健疾的生命，
在這空曠的萬頃。
霹靂啞噤在我的翅畔，
膽怯的星座屏息以運行，
蒼皺的大海，已化爲
一壺綠酒待我斟酌，
世境最高海拔的
危峰，如螺，猶待我
攫撲以生吞。啊！啊！
我要揪住披髮長嘯的風暴，
格殺嘮叨的雄霆，
嘔出我燦爛的心頭血，
煜爲宇宙的光明！
視千洲如草芥，
巡四海於一瞬。
衝！向太空的深處，
棄日星於爪旁。

啊！無友、無仇、我歌，我嘯，
　吐不盡盈懷的悲壯，
　放不盡一腔的激昂，以
　炯炯厲眼，統治大千萬有，
勃勃雄心，怒化爲長虹一彎。
看莽雲，落荒而逃，
聽長颻，驚惶悲歎。
我健，我壯，我健，我壯，
豪邁當爲一世雄，
睥睨在宇宙的中央！

垂憐凡鳥如蟻，
仰望我慷慨離去，
彼恨生死無奇翮，徒然
老朽向泥丸。
哦，任世境如夢，星系如痕，
任天河成燼，斗牛凋落，
即宇宙翻身，雷霆炸盡，

我仍將慷慨凌翔，
彎我壯臂爲弓，射出力量，
鞭激起天空雲海的怒濤萬丈，
凌翔，凌翔，凌 翔！
我的歌如奔劍、如飛火、如疾電，
閃徹四方！

江河行地，不過是眼底游絲；
日月經天，不過是小丑跳梁；
且讓我獨來獨往的壯志，構成
無形的銅牆鐵壁，
讓我如劍如虹的長翅，做
宇宙外的天塹金湯。

飛啊！飛！敞開不銹鋼的
長喉，唱我大征服之歌，
要宇宙束手待囚，要行星
俯地授首。

飛啊！飛！
渴飲天河的潮。
饑餮星宿的肉，
天外的
天外的天空，我將
憑劍翅以開創！
開創！開創！我是
天外的一隻鷹，
一隻生了無敵長翅的太陽！

詩飲

舉起
浪濤噴薄，雲詭波譎的洞庭湖，
如風雨江山一杯酒，
我邀飲屈原！

則看「上下天光，一碧萬頃，沙鷗翔集，錦鱗游泳」
在我的酒杯中，
我邀飲屈原。
則看，晝有千帆出沒，夜有魚龍悲嘯的
是我的濁酒一杯啊，
我邀飲屈原。

我掀開汨羅江綠色的扉頁，
吟荇藻的嗟傷，讀魚龍的歎息，
且呼喚著屈原。

我凌邁天涯萬日夜，
騎「涉江」的名句以奔馳，揚「離騷」的顫聲以招魂，
　而呼喚著屈原。

屈原啊，你在那裏？
我向桃花港的煙波，鳳凰山的石鼓，
以及三閭橋的流水苔石尋覓你的形影，
而你都不在。
阜山上奔馳著蒼茫的雨霧，甕江中躍響著閃亮的奔濤，
金井河的微波和芽灣的彩石，都問我你在那裏？
而我不知道。
武陵的滄山要贈你一片長夏的黛淨，
沅水湘水要贈你一卷供你謳吟的民謠，
還有楊梅江的桂舫、澧水的釣舟，都詢問你的去向，
而我不知道。
玲瓏的詩句，奔走相告，說你曾是
「朝發枉渚兮，夕宿辰陽」，

但我搜遍辰陽黃昏橙麗的卷頁，
卻尋不到你的小立。
紋身的辭章告訴我，說你曾是
「駕飛龍兮北征，邅吾道兮洞庭」，
但沅水瀟灑的茝草、滄江文麗的蘭葉都無法說出
你曾在何處棲停。

或許你正佇立於江天露冷的客道，
癡望楚天的苦雁啣行雲以遠去，
獨悼風雲國廢，琵琶人老，楓荻秋深。
或許你正行吟葦岸，手挽那如歌的江潮，
滌濯著胸中沸鬱的愁思，
瘖聲尫貌，懷瑾抱玉，寂寞詩心。

或許你已握別那橫江的風鬢雲鬟，
而潛訪於湘君的貝闕珠宮，
與千古蟄龍聯吟於驪珠之側，
或許你竟已化身為千頃煙波，

徘徊於雲夢之澤，
朗飛在岳陽之濱……

啊啊，
「滔滔孟夏兮，草木蒼蒼」，
我引袖拂野雲，撥開蒼茫的古意，
呼喚著：歸來吧，屈原！
憑弔星沙夕照，目迎湘水歸帆，
我獨對翠微的煙樹，縹緲的江波，
呼喚著：歸來吧，屈原！

以洞庭明麗的漁火爲眼，
我盼注你歸來的姿影，
以湘水潔白的風帆爲耳，
我諦聽你翩然歸來的跫音。
八百里滔滔如泣的雪波呀，
頻傳我風雨般的呼喚，
九嶷山泫然蒼白的星月呀，

凝結成我引領期待的眼神……

啊啊，屈原，

我似見你獨彈風雲的琴瑟，行採星辰的朵瓣，

重登那天問之臺，吟誦你的「天問」。

我似見你「運舟而下浮，上洞庭而下江」，

朗哦著寂寞的「哀郢」，再譜不朽的新章。

我似見你寓影於釣魚台畔，

展綸竿於文學的淵海，獨探千古的詩脈，

我似見你棲止於汨羅之渚，佇看漚浮浪卷，瘦影孤愴，

放眼收盡三楚山色，

順耳接住千里江聲，

而孤憤興悲，化身爲千年湘纍，

揮淚做蒼生的霖雨，

歌哭成大地的風雷……

啊啊，歸來吧，屈原！

看無數淚痕笑渦，共織成百代的興廢，

終泯爲千秋的陳跡。
看歲月的大手，匆匆收摺起
楚國蒼茫的晚景，與懷王淒冷的黃昏……
二千年來的功名蟻戰，毀譽蜩鳴，
百代的豪傑鴻圖，英雄霸業，
終歸於雲煙野石、斷碣殘碑，一了無痕，
秦耶？漢耶？競逐著運數的波濤，
古木忘情，頑石無語，
空寂江天草自青！

惟有你啊，
湘水之鄉的一記心鐘，響徹千古，
那音波如驚濤鼎沸，向八荒湧動。
汨羅山上，一坏黃土，
埋不死你貞皎千秋的毅魄；
汨羅江中，千頃碧波，
淹不沒你曠古桀驁的詩魂。
彩筆吐星霞，詩卷長留於天地，

丹心湧日月，激烈千秋放光明，
是你繁渤的文思，化育了滄桑世界，
是你崢嶸的巨筆，擔當著晝夜乾坤。
那辭章的靈秀天機，
風播爲漢賦唐詩宋詞的一片光華的文學花海，
那歌賦中的耿耿忠忱，
熔鑄爲百代詩人從容理遣存亡的擎天傲骨，
化爲映照青史的神燈。

有眼大如天，萬山都無非砂粒；
放懷寬於海，千湖皆止是一杯。
啊，歸來吧，屈原！
你可將這鋪展在面前的
供你棲憩、徘徊、供你恣意謳吟的風濤海洋、星霞遼天、花卉原野、
化爲筆下的一滴甘露，
藉而再撰一章美人心願，
再譜一曲蘭蕙的歌唱。
歸來吧，屈原，

請給歷史的大漠萌發成文學的花淵，
請給文壇的長夜焚引起詩歌的火季，
請給這古典的東方
呈現特別的異采，
給這永恒的中國
播放絕大的光明……

岱色蒼茫，點點盡憐眾山小，
天容慘淡，二千年前大星沉。
今天啊，我縱筆長歌，狂吟悲白，
在這翠島之上，看玉山獻碧，霽海無邊，
今天我點旭日為華燈，化汪洋為飲席，
斟一杯蒼茫古意，手擎浩蕩乾坤，
哦哦，我邀飲屈原。

屈原，啊屈原！
請你揮灑詩筆，橫掃九州的奸佞，
請你以楚辭半部，啓發百代的文心；

請在這古典的東方、新生的世紀、燃燒的時代，
以你詩的指標引領這綠色的一代，
涉過雪雨紛飛的歲月，穿過驚沙夜鳴的大漠，
搖響倔強的駝鈴，
追尋天邊那藍光熠熠的星辰！

壯意

——題「新文藝」封面畫——

頭戴萬里蒼穹，
腳踏千尋地脈，
引天崩地裂爲生命的爐錘，
鑄此碩健身手，嶙峋風骨；
俯仰天地，
以亙古的壯顏毅色。

（沙石是我肌理，
礦脈是我骨骼，
日月是我雙瞳，
風雷是我脈息。）

任陰陽寒暑荒蝕，
任雷火雄飆焚劫，

我是一頭想飛的山啊；
若我拔地而起，騰身而上，
莽轟轟脫去人寰，
管教它宇宙驚心，風雲變色……

（萬邦是我腋間蚤，
千洲是我掌中粟，
乾坤是我鷹犬，
晝夜是我童僕。）

啊，我雖凝然不動，
而肝膽精神，卻照燭千劫萬劫；
夜盥銀河，朝探碧落，
我挽起太空的籃子，
採集九天的星宿。

附記：自民國六十四年十月始，我即按月爲「新文藝」月刊寫「題封面畫」詩。此一專欄創作，如今將滿三年，而「壯意」爲今年九月號的詩作，亦即爲最近的一篇。「新文藝」主編王璞（名作家）兄多年來的激勵相勉，時加督催，栽培有功，殊深感紉。

大地，我輕輕搖你入夢

用地球的經緯線織成一張繩床，
你躺臥其中，讓我輕輕地搖，
親愛的，大地啊，
我輕輕搖你入夢！

晚風的紗幔輕拂，
你蓋著一條鑲繡著星花的被子，
你蓋著閃爍的蒼穹啊，你蓋著萬古的天文；
當月亮的水銀燈在你的床頭亮著，
親愛的，大地啊，
我輕輕搖你入夢！

那沉思的山嶽睡了，
那遠足的河流睡了，
那戰爭與和平，

也都已靜靜地安眠。
從遙遠，傳來海洋遲緩的呼吸，
從大荒之巘，傳來
　天風與焦雷的鼾聲，
而我，輕輕的拍著，搖著，
親愛的，大地啊，
我輕輕搖你入夢！

岡陵夢著夕照，
森林夢著月光，
歧路的荆棘上，
　人類的血滴開出奇異的花朵，
曠野裏，歷代聖賢留下無言的腳印；
啊，大地啊，
是誰的熱淚使人世的文明抽出新芽？
是誰腕下的寶劍誤盡了蒼生？
是誰，拔毛髮而痛徹天地、
　搔皮膚而癢盡古今？

這時，都已一齊
淪入沉默與遺忘，
淪入這偉大的靜，
　這無可釋義的深遙的睡眠；
哦，我輕輕地搖著，搖著，
親愛的，大地啊，
我輕輕搖你入夢！

在你朦朧的臉上，
那兒是歐亞的山影與遼原？
那兒是美洲的都城，非洲的野火，大洋洲的港灣？
啊，這一片縹緲浮沉，繽紛掠影，搖移蹁躚，
　都化做夢中的蝴蝶。
我將人類的青史捲成一支小小的煙捲，
點燃著，吸著，看著它
　一寸寸的成爲灰燼，飄入虛無空靈。
我守著星月的輝光，
守著寂寞的詩魂，

不停的，輕輕搖著，
親愛的，大地啊，
我輕輕搖你入夢！

歇息的翅膀是爲了遠征飛翔，
休止符的後面，是強音的高唱。
睡吧，大地，醉入那黑甜的海，
爲完成生命壯烈的再造而通過酩酊的夢鄉，
且讓我搖著，把你的夢朵搖成一張蔚藍的海，
搖成一顆寒麗的星，
搖成一朵沙原的紅花，
搖成一柄閃亮的雄劍，
搖成雨，搖成蘭，
搖成溫馨三月璀璨的長虹，
大地呀大地，
我輕輕，輕輕的搖你入夢！

直到睡眠像一顆熟透的蘋果般脫落了，

天外的千羽白霧，飄舉到你的心胸，
我便收摺起那片燦爛的星空，
縱放出袖中輝煌的太陽，
看六洲醒轉，人境沸騰，萬國雄飛，
大地啊，你轉動著龐大的身體，
振山群的壯臂，緊抱那永恒的朝陽；
你醉於嶄新的光，醉於強烈的愛，
醉於詩與夢所調和的殷紅的聖酒滿杯，
你是偉大的詩魂，
你是永恒的巨星，
親愛的，大地啊，
我曾經，輕輕的搖你入夢！

卷十二　讀　虹

（新詩水彩畫集）

五十歲作品

民國七十一年，義裕文化事業公司印行

全集三十首詩，三十幅水彩畫

選詩九首，外加七首

山，浴我

憑欄五月六月涼，人在冰壺中飲酒；
放眼千山萬山曉，客從圖畫裡題詩。（呂純陽）

這起伏的山濤啊，
這青巒的浪影，
這初醒的半透明之美呀，
這曙色的柔波……

晨風如歌，
薄霧如羅。
這雲樹的煙海，
濺潑出鳥聲的珠顆；
這花英萌動，
分明是碧野的漁火；
——哦，蝶翅的彩帆，

輕輕地航過……

這山籟，山籟幽於音樂；
這悄靜，悄靜猶如謳歌。
哦，輕風澹盪，
　麗水滋波，
這來去婆娑的
　夢般的雲朵、雲朵、雲朵、
浸透了一個我……

朝遊碧落，
夜盥銀河，
我曾酣眠於谷，
　做著夢中的夢；
我曾長嘯於崖，
　唱著歌裡的歌。
而現在，
　我是一尾游向晨光的魚啊……

緩緩地，吐著歌的泡沫。

啊啊，笑拍千山，

　　嘯遍江河，

「眼底滄海小，

衣上白雲多！」

黃昏的臉

浮雲遊子意，落日故人情。（李白）

整個原野的風聲
都已靜靜睡入樹林的心房；
紅葉輕眠，綠葉輕眠，
這時候、是誰
　在林間灑下幾暈斑爛？
是離人淚，或是夕陽，
　一斑斑，一圈圈，
映在黃昏的臉上。

鷓鴣潭之夏

最高閣上聽清音，
雲影山光入寸心。（易君左）

精采的陽光，
喘氣的雲，
我看到夏的縱跡。
草葉的言語，
奔放的風，
我感知夏的呼吸。
處處蟬禽野笑，
歷歷峰嵐凝碧，
是夏的深情。
晝風如焚，
炎雲如熾，
是夏的激烈。

遠麓幽藍，
江岩如疊，
夏水飛舟，
人蹤棋結。
在山亭的指揮手勢中，
景物便做詩句式的排列。
啊，夏在寫詩，
大地是它的原稿紙；
啊，夏在作畫，
太陽是它的調色碟。

夕暮之歌

滄波遠天，混合暮色；
孤舟一去，曷日而旋。（任華）

天空還沒有擦亮火柴，
還沒有點燃起他的第一顆星。
那煙岸，那波面，
還殘留下一些白晝的碎片。
從蒼茫的天末，
黃昏唱著一支朦朧的歌，慢慢走近，
我啊，守著一片無言的風景，
守著這一船的靜。

魚兒收拾起游蹤，
沉向水底酣眠；
鳥兒摺起了飛翔，

　歸向靜靜的林間。
岸頭沒有犢影，
水際沒有蛙鳴，
只有江水在我的心上流著、流著，
　沖洗著我對晚霞的依戀。

哦，是要載滿一大朵一大朵的暮色，
　再慢慢的划回去呢？
還是，「載一船星輝，在星輝的
斑爛裡放歌」，學那浪漫的深情？
當這長河煙岸向晚，
　江千寂寞初暝，
把遊子意交給行雲蕩翳，
將故人情寄給落霞新星，
「風浩寒溪照膽明」，
我的一葉心靈，颯颯的，
飄搖在天地之間。

春綠

春風又綠江南岸
明月何時照我還

宋・王安石句寫意

煙雨

雨中耕白水，雲外斷青山。

張空濛的羽翅，
輕飛的雨霧呀，
在江上婆娑……
太陽溶解，雲霞凋落。
荒江晨發，只有扁舟與我。

看千里雲樹相溶，
溶成詩魂一個，
聽江天煙雨合唱，
唱出半透明的歌。
啊，今朝扁舟輕發，
湖海雲雨，
詩趣奇多。

我將化煙雨爲天梯，
騰舞江波，使瀾匯碧落，
洗盡九天星辰，
把那無限天文，
揑成明珠一顆。

啊，揑成明珠一顆，
燭照萬里山河，
更照得荒江如玉，
還有扁舟和我。

微醺

長天落彩霞，遠水涵秋鏡。（張可久）

微醺於酒一般的湖，
耽溺於宴一般的風景，
我的心在餐飲中酩酊，
一頓精神的歡宴……

夕雲在天上，也在水底；
風景在四周，也在深心。
就這樣，
我便美成夕照湖上一紅葉，
我便逸成夕暮風中一支歌。

哦，我是一葉舟，
我是一葉瀟脫，一葉飄然，
飄成雲間影中影，
飄在水裡天外天……

臥雲人

白雲為我鎖柴扉，俗客不來苔自肥；
露煮春茶將葉掃，風吹詩草並花飛。（陳維英）

嶺上有兩間小屋，
山花相伴，山鳥相呼，
還有山雲，
長年來與我同住。

鳥在林間宿，花在樹間駐，
只有雲，雲和我同住一間小屋，
雲和我同睡一個床鋪，
雲和我同走一條山路。

白天林靜，有談天的鳥；
夜間水清，有讀月的魚。

雲去雲來，是山的虛實；
花落花開，是樹的貧富。

世境煩囂風塵惡，
人懷嶺林三千路。
偶有電話，傳來自塵氛深處，
人人都願化爲雲，來與臥雲人住。

冷飲著黃昏

晚霞在溪水裡洗淨了它的翅膀後，
便飛走了。
臢下愛遠足的溪水，一程又一程的
　送遠了牧歌的碎片。
臢下悠閑的大地，一杯復一杯的，
　冷飲著黃昏。

枝頭小聚的樹葉在輕風中交談，
隔水的煙岸，用蛙聲來握手，寒喧。
哦，那水湄的荻叢，草際的煙光，
他們輕輕的，從唇間
升起一首純情的朦朧長歌……

那小小村落也慢慢閉上了眼睛，
　就要睡著了。

待一會，就會有一群賊亮的星子
悄悄從樹後爬上來，
偷走它的鼾聲，
且也偷走大地手中的黃昏。

鴉影江天

薄暮鴉翻千點墨，晴空雁草數行書。（葛長庚）

是誰是誰用千縷明霞，
編織萬里江天？
在水天空闊裡，
隊隊的雲駐雲行。
是誰是誰展出這一泓澄明，
容涵無限天文，
任水風清，晚霞明，
暮雲合璧，
落日更鎔金……

江樹江樹請掛住落暉，
讓雲影在水鏡上輕眠，
晝寢的星群啊，

且慢甦醒；
天頁啊，勿提前，
　題寫出第一顆星。

縹緲的天際線，
有許多詩句款款飛來，
　邀晚霞起舞翩翩，
水草水草啊，你萋萋如睫，
在水湄，在沙洲，
　交織成一個夢境。

歸鴉歸鴉請輕輕地飛，
莫使翅尖把雲水搗碎；
畫家畫家啊請揮彩筆，
蘸一筆夕陽，蘸一筆雲水，
　描下一朵永恒的風景。

詩人詩人啊，

請挽起你心靈的籃子，
趁這碧水涵空，光影輝映，
採集千古的愛心，
萬世的眞情！

雲路

披襟霄漢，揮手雲煙；
下視塵寰，豈翅蟻垤。（汪虞仲）

游泗雲海裡，
人魚般的山影。
浮沉雲海裡，
藻草般的樹林。
嶙峋雲海中，
礁磯般的岩石。
邐迤雲海中，
潛龍般的橋影。

肝膽般的峰岳，
在雲海上崢嶸。
胸膛般的天體，

在雲海上展現。
風雨是雲海的呼吸，
日月是雲海上的燈。
我的歌、我的詩、我的夢，
一齊向雲海流連，
批風切月年復年！

龍潭夜色（題畫）

三桅船醉飲了風濤，
斂下詩般的帆花，倚壁而睡了。
龍潭山，有如兩隻對臥的水牛，
幾瓣夜色，分懸在它們的角上。

沒有王爾德詩中紅唇般美的星子，
和黃金眉毛的月亮，
也不是愛默生要用刀子一塊塊割下來的濃夜。
無邊的，寂靜，綻開靜美的花朵，
在宣紙上睡了的波濤，發出輕微的鼾聲。

女畫家大膽的潑墨，化爲山頭的夜雲，
夜雲垂翅孵育著畫者之夢。
而詩人舉筆爲漁竿，向如水的夜色垂釣，
呀，上了鈎的是
一尾細鱗的小詩。

冬眠的長堤（題畫）

吻別了楓葉的紅唇，金風的粉臂，
長堤冬眠了，蓋著霜天的薄被。
畫中的流水搖不醒它。
畫中的西風拍不醒它。
畫中的禿枝挽著它的夢。

長堤會握別惺忪清醒過來的——
當春光猛力敲打畫家的心扉，
當畫筆裏奮飛出紫燕、黃鶯、蝴蝶，
當顏料領著萬紫千紅回來，
春之燄，將把長堤夢兒焚成爐。

生機（題畫）

突破萬里的冰封雪蔚，
只用一芽的綠。
搖醒萬紫千紅，
只用一瓣的火。
大風雪暴虐的跫音
撼不動心中棟樑；
肅殺蕭瑟的季節裡，
有摧不盡的生機。

只憑一葉的綠，便能
緊握春，緊握陽光，
緊握壯麗的希望。
只憑一瓣的火，便能
點燃詩，點燃夢，
點燃起藝術精神。

啊，這一痕青，這一抹紅，
青如鐵，紅如火，
創造出永恆大地的春光。

劍蘭（題畫）

撩九霄的風雷，
映宇表的星月，
這絢麗之枝、騰舞之花啊，
爆一劍剛健中的婀娜，
惹一蘭的蜜蜂與蝴蝶。

凌雲翳日之姿，
鼓舞著詩膽歌魂。
鳶飛魚躍之勢，
端托出紅顏媚骨。

這含情的湛綠嫣絳，
呈一劍生命的芬芳；
這奔放的節節雄葩，
表一蘭青春的偉烈。

一劍而含滿心的寒煙秀水，
一蘭而蘊盈胸的冷泉奇石。
福慧恒在不凋花，
春光攀上長青葉。

美學

賈瑟騎機車載我，相依隨去寫生。瑟很注意我的繪畫手法，她的眼睛微笑得好亮，好純，但仍掩不住那稍含羞澀而情怯的心象。我禮貌而細心地與她相處，覺得，她眞像一隻雨中尋夢的紅蜻蜓。

飄飄風袖，放飛了凌空的
彩筆，把碧潭輕輕的
飛成一朵小品畫，
飛成一支含蓄又含情的
緣的序曲。

色彩線條，以夢的姿勢
沿著心的棚架，攀爬成
婀娜的常春藤，
一種彩翠交纏的嫵媚。

妳，美而依隨，

一冊醒著的美學。
讓我，輕輕地從妳微笑的
　扉頁讀起，
讀進妳眼中清亮的七月。

採珠人

寫生時，我一面畫，一面流汗，瑟一面看我畫畫，一面用帕子輕輕抹去我面上、頸間的汗顆。

大熱天，
海藻般的大樹濃蔭下，
我們讓風景一片片的
跳入畫紙，跳成寫生的喜悅，
而汗顆的珍珠，在臉上一粒粒的
結成透明的八月。

如一個勇敢的採珠人，
你泅入一片深情。
用小帕兒輕輕地採我
　額上的明珠，
用小帕兒，輕輕地
抹掉我臉上火辣的八月，

把我抹成
一首沁涼的詩。

大暑天，
熱飲陽光的行人在喘氣，
碧潭的風景在喘氣，
而我是一首沁涼的詩，因爲，
我冷飲著一盅美的迷思。

含情

相偕碧潭寫生。
上午畫了一張，下午又畫了一張。白晝用完，趁夜色，燕坐江頭傾談。瑟，好美，好純，讓我好想寫詩。

碧潭的白晝細短如
一闋可口的小令，
很快便被讀完了，
而讀不完的，是
一個斯文的妳。

妳是唐詩宋詞外的
一部新文學的小小經典，
一部傾國傾城的新書，展示成
今夕的另一種含情山水，
展示成一個
美麗的圖書館，
好供我咀嚼一生。

觸　及

一次輕輕觸及她的小手，便成一生深深的憶念。
發乎情的美意，止乎禮的素心。

從妳年齡上
醒來的新緣，
染我一手的春，
當我輕觸及妳。

觸妳如花，
染我成春，
觸妳如詩，
美我成夢。
觸妳如歌，
感我成泣……

輕輕的

只一觸及妳的小手，
便使我的一生，絢麗成虹，
成虹，一部七色的原著，
伴著一朵異色的白日夢。

琴與詩

夜色初臨江邊。倆倆偕坐在悄無人處，切切細語。我輕握著瑟的小手，傾聽她對未來的迷景和如水的童年。她一面說，一面用長髮編著辮子繫上一枚蝴蝶結。諦視美顏，如在夢裡。

水一般的
涼月下，妳是一張靈秀的
琴，在江濱斯文地發音。

一潭水聲，
輕釀著少女的憧憬。
半潭山色，
包裹著語中的童年……
江風寫在臉上，像是
揉和淡淡的冷香與詩句。

只輕輕的，我握著

妳微涼的小手，
便是此生深情歲月中的
最愛、最美，和心跳。
妳是我近百年來，讀到的一句
最好的詩，
韻上還繫著一隻蝴蝶結。

輕車

金陽下，寫生歸程，輕車飛掠過大橋，見一列風景迎面撲來，視覺一片幽涼，遂脫口出：「一排山色把我們雙雙染綠。」瑟笑說：「哇，好句子。」下車後，到校園找寫生場所，我們像蛺蝶般飛來飛去，終於找到一個亭子可用。歸來成詩。

輕車掠過高橋，迎面
飛來一排山色，把
我們雙雙染綠，
把我們染成
順著大路輕飛的
另一種風景。

一進入校園，妳便是
最美的一朵，妳便是
最亮的一盞。
妳便是滴著翠液的
最柔的一枚，含笑的春。

爲妳的美所燃燒的
一個含笑的動詞啊，是我。
我是一隻飛閃的蛺蝶，如一盞燈，
照亮了校園多詩的花徑。

出藍

與瑟相約寫生前後六次，她好注意我的操作。我的特殊畫具包括了銅板、麥桿、手帕、指甲銼刀、菜瓜布和食鹽，她學著運用。回去後，她日夕不舍的一直畫下去，兩周後，拿畫來給我評鑑，不但成績好，且還悟出了新的招式。我因大喜過望不禁仰天大笑久之，爲她寫一首青出于藍。

剛剛飲下我的
一滴藍，妳竟青出
一扇亮麗的海，
妳竟彩成，一條明蕩蕩的長虹，
妳竟飛成一隻
大翅垂天的
萬、里、鵬、飛。
妳，小小的一抹青，竟
青成一扇上帝的天。
把筆一搖，便

動盪了山水雲樹，
將紙一鋪，便
展示成大地山河，
妳，青成一個夢，
青成一種不世的才情。

啊，剛飲下一滴藍，
我的一滴，竟美成
你的春，
竟春了妳的一生。

春綺

霽日光風開白晝
瓊林珠樹照青春

金・元好問

卷十三

讀雲（新詩水彩畫集）

五十一至五十四歲作品

民國七十五年三月，星光出版社印行

全集四十首詩，四十幅畫，一百則畫論。

選詩十五首

花魂

讓大地的芳菲表盡絢燦，
讓百花的香息遍及綠原；
哦，親愛的，
我只願踏著一路的春晴，
走向妳明媚溫文的笑靨。

讓鳳凰的華羽寫盡錦繡，
讓孔雀的形象炫人眼睛；
哦，親愛的，
我只願行歌滿心的快意，
走近妳臨風孃嫋的裙影。

讓琴瑟演盡它的天籟宮商，
讓蕉雨椰風將它的詩韻撒遍；
哦，親愛的，

我只願帶著一片緘默的微笑，
走向妳呢喃中的纏綿。

讓壯偉的天文展示它的燦爛，
讓遼敻的地理顯現它的豐盈；
哦，親愛的，
我只願挽著心靈的籃子，
採集你的笑渦、淚痕、夢想、愛心與信望，
譜成我們永恆的深情！

長堤春雨

酒一般的灑落著，
夢一般的雨霧，
醉了的長堤，
有時會悄悄飛來
翩翩的白鳥十數。

詩一般的移動著，
夢一般的舟影，
是那釣雲的人，
在趕一段迢遙的水路。

隱隱堤外山，
蕭蕭堤上樹，
或是鶯燕，或是鷗鴣，
都會溶入此煙濛濛，

雨瀟瀟，
齊把長堤籠住。

哦，你可願
像一句情詩般從畫中走來？
一步一依稀，
踏著霧的夢片，
一步一娉婷，
和著雨的明珠。

若能輕擎一柄小傘，
迎向這長堤春雨，
妳將像一朵冷香，
飛上我的詩句。

雲水之鄉

化煙林爲屏障，
依雲水做眠床，
視香草爲友儔，
取風露爲佳釀；
日月啊，兩圓燭影，
天地啊，一箇家鄉。
不做風濤於世上，
免致盈胸冰炭。
不圖功名半紙，
免苦風雪千山。
看啊，水如流壁山如玉，
歌滿疏籬詩滿塘。
就這樣，引千彙爲伴，
居泊這雲水之鄉——

歌搖晨光，
詩盪夕陽，
夢入瀟湘。

不做那安排萬象經綸手，
不做那反覆千章錦繡才。
如不夜燈，我心地華明；
如長生海，我天機清曠。
肴仁飯義意長生，
含英咀華興未央。

消磨歲月，消磨歲月雲千卷，
嘯傲林泉，嘯傲林泉霞百章。
看啊，放情人世外，寄跡羲皇上，
就這樣，引詩畫爲伴，
居駐這曠美之鄉——
歌過風霞，
詩搖白月，
夢盪人寰……

自得

我裝飾起一片天，
用我的歌編成的雲。
我打扮了山與河，
用我的笑：霓虹的流影。

我以靈秀之筆，
招喚一片碧濤，
蔚爲常綠的喬木。
在夢般的山麓，
我築起了小屋，
用我的詩篇。

綻放出一朵美啊，
那鳥歌，是我的夢。
掛起了一串聲韻，

那流水，是我的琴。

我與千年山色同青，
我與萬里河海同鳴，
夢枕星月，
偃臥雲煙，
我的名字叫「自得」，
來去在天上人間。

名字

我用鳥聲做針，
搓風絲爲線，
一針針，
縫補著歌的碎片。

我挽明月做鏡，
揮椰影爲梳，
一梳梳，
理著夢的雲鬢。

向長天的畫布，
我塗抹上山影綿綿，
在流水的絹素，
我刺繡上落英點點。

當陽光換了一副柔和的臉孔，
當天空的前額
更清朗，更悠遠，
你就會知道，
我的名字叫「秋天」！

山泉引

泉，泉，泉……
雲皎潔，玉晶瑩，
來從地脈千千里，
亂迸明珠箇箇圓。
是巨斧劈開了玉石髓，
是長鈎勾出了地龍涎。
想像著遠山涵秋鏡，
端詳這長山巒晚晴，
景色都出這泉，泉，泉！

泉，泉，泉……
流出酒中聖，溢如雪中精，
渺渺清歌人生愛，
淨淨詩心不染塵。
西風嫩寒悠悠夢，

夜月生香淡淡煙。
頑石，頑石都成玲瓏玉，
荒水，荒水皆溶錦繡煙，
境意都出這泉，泉，泉！

孤飛

寒風是一支歌，
雲海是一首詩，
嶽色是一幅畫。
飛啊，
飛成歌中之音，
飛成詩中之韻，
飛成畫中之色，
或飛成流天長劍，
斬盡乾坤頑無恥。

遼天是一張紙，
彩虹是一支筆，
朝陽是一盞燈，
飛啊，
飛成紙上的一句詩，

飛成筆下的一滴墨，
飛成燈外的一顆星，
或飛成橫空霹靂，
炸醒河山大地春。

雲嶽

舉百代璀璨日出，
扶陰陽輪迴變化，
見九萬里雄圖，關河大地，
五千年雷奮，文物光華。

掛秋泉如磨劍，
走春風如試馬，
俯須彌如草芥，
視歷劫如蟲沙。

高揚大我意識，
矯如黎明的鷹隼；
掃除時潮煙瘴，
如暮風吹散歸鴉。
詠歎百劫人豪，橫槊，乘槎，

心血令天山聳峙，冰河倒瀉……

朝陽紅，丹衷更紅，
乾坤大，雄圖更大，
看胸中海嶽夢中飛，
問，誰是時代健者？
兀透過旭日如花，落月如瓜，
搖木鐸，振黃鐘，一派悲涼叱咤，
怒憑著狼毫三寸，
創下了劃時代的藝文奇葩！

一葉晨風

在大草原上，
我與早晨
拍手笑相逢；
早晨送我
一束晨風。

旭日與我邂逅，
陽光牽著我手，
相語草原東；
伊也贈我
一簇霞紅。

匆匆來自海上，
數羽飛鴻，
它們切雲批風，

又帶給我
一彎長虹。

啊，一任那
早晨、旭日、飛鴻，
清風、霞簇、長虹；
飄然出入來往，
於我曠然心胸。

因爲，我是
一個晴空。

山曦

嶺頭雲石，常伴著霜雨風雷，
嶺麓煙林，長繫著簫聲明月。
夏晝鳴蟬，
秋暝啼鴂，
冬暮飄風，
春晨飛蝶。
大自然的神祇，
年年借此嶺岑，
演不盡綺痕秀色。
昔日洪水裹陵，
今朝纍纍禿石，
憶裡浪語波聲，
都付河海空闊。
漁者爲樵，

網者爲弋，
只聽得片片滄桑清謳，
都成了鄉田俚曲。

啊，嶺影空濛，
亙古繫人長憶，
吊橋懸空，
來往曾幾許蹤跡。
草木華滋間，
有飛禽煙舍隱約，
人寰聚散悲歡，
上映著陰晴圓缺……
大地長存，
日星明滅。

船慕

任雲霞下的遠山，綠成碧玉，
任春暉裡的遠水，耀成金波；
我只要載一船的春天，
與妳，無言而含情相對。

任天風中的歌鳥，飛成雲間詩句，
任樹梢上的葉片，閃成頭頂蝴蝶；
我只要載一船愛，
與妳，在荻叢旁含情脈脈。

任綠水皺面，青山白頭，
任日月老態龍鍾，乾坤風穿雨透；
我只要載一船的人生，
與妳，在天荒地老時，
海枯石爛後，
征服生死，含情長相守！

祈願

若你爲天空，
啊，蔚藍的天空，
我願是屬於你的那怕是一朵行雲，
或一顆晚星；
用一朵優閑，一顆典麗，
長伴著你的青碧無言，
無言內含著柔情萬千。

若你爲大地，
啊，豐盈的大地，
我願是附於你的那怕是一枚蓓蕾，
或一隻歌鳥；
用一枚含苞，一隻音符，
長陪伴你的姿彩多樣，
姿彩裏無限的綺麗芊眠。

若你爲太虛，
啊，無限寬廣的太虛，
我願是化於你的那怕是一片濛霧，
一粒微塵；
用一瓣夢，一粒靜，
長守著你的空茫幽寂，
在共溶裏，
我將感到匯會合一的生命。

雲漫初成隧道

那拔地湧天的山嶺，
窩藏著日月，
那撲動著白羽的雲霧，
呑吐著嶽色。
就在那荒風野雨莽雲之所在，
有人手揮巨斧長鎬，
砍伐那阻梗的風雷猖獗，
慷慨地俘虜了群山，搗碎了歲月。

他們搖醒峰巒的脈搏，巨瀑的呼吸，
讓血汗向剛堅的時空展開壯麗的軌跡。
他們精詳的藍圖，狠狠地搖撼千彙，
使勞動焊接了春與秋，
工作横亙了日與月。

啊，雷語般的高吟，狂飆般的清嘯，
劃破了皇皇的天衢。
霹靂般的歌語，虹彩般的笑影，
掩映著浩浩雲嶽。
那是血與血的匯聚，
成全了力的構築，靈的貫通。
那是汗與汗的結晶，
創造了大地的華年，光明的歲月。

舉杯

不是酒，是一杯燃燒的雲彩。
不是酒，是一杯響亮的波濤。
擎起我掌中的清高，
灌溉我心靈的小島，
看人間所有佳釀，
都俯向杯下低繞……

不是酒，是一杯璀璨的詩魂。
不是酒，是一杯風雷的翻攪。
醒地理百代才情，
引天文熱淚狂拋。
飲神鬼於天河兩岸，
教后土皇天，
在典麗的杯沿醉倒。

雲海迢迢，
人塵渺渺，
傾一杯自製佳釀，
澆注我心上的狂飆。
雄天壤，
引長杯，
喝到老！

梅的禮讚

開一樹烈火，
開一樹熱血，
開成一樹浩蕩的青春，
憑你的丹心如鐵。

開一樹肝膽精神，
開一樹心胸偉烈，
開成一樹風雪中必勝的信念，
憑你擎天的傲骨。

雪窖冰峰，你悠然俯仰天地；
徹骨奇寒，你從容肆應災劫。
示人間以英雄氣慨，
播千里的美人芳息，
當千卉化泥，當群芳泯滅，

當風雪肆虐在凍結的歲月。

開一樹堅定，
開一樹奮發，
開一樹的熱淚與心血啊，
用你燃燒的激情，
不屈的志節。
示逆境的信心，
示莊嚴的誓願，
寄語親愛的祖國。

大雷雨中的晨訪

大雷雨灌醉了小鎮，
街道們像在爭煮著長江，
提著鞋，任浪花打僵我的膝蓋，
我是一葉舟啊，
情怯怯在水波裡揚帆。

只因爲你是美麗的小港，
只因爲你的情綺如故鄉渡頭的夕陽，
我才把這小鎮的千頃浪花，
都一一繫在膝上。

飲著雨，飲著相思，
嘗啜這天上人間透明的冷飲。
餐著風，餐著晨寒，
把旅人的悲酸拌和著夢中的面影，

眾峰

今朝一洗眾峰出
千鬟萬髻高峨峨

元・元好問句寫意

塞進這小小的胃囊……

哦，我像是，涉江采芙蓉，
你，宛在水中央……。
難忘這跣足相攜的相見歡，
難忘這千街濁浪因愛而化爲一片晴瀾。
我看到典麗的雨後虹，
是妳的裙裳，
清醒的薔薇朵，
在你臉上。

卷十四 讀山

（新詩水彩畫集）

五十八歲作品

民國七十九年四月，二曲藝術有限公司印行

全集新詩三十三首

水彩畫三十四幅，畫論七十則

選詩二十三首

元聲

以嶽峙爲骨骼，
以淵渟爲脈血；
以日月爲雙瞳，
以霹靂爲言舌。

以天地爲穹廬，
以風雲爲衣著；
以四時爲感情，
以千彙爲理識。

以天道爲行路，
以人倫爲履屐；
以宇宙爲生命，
以永恒爲歸宿。

風繡

繡一泓煙水涵空，
繡一朵落日暗紅；
有小詩如夢，
掩映水紋中。

繡一列煙樹葱蘢，
繡一朵鷺影迎風；
有夢如小詩，
寫在水底空。

繡一聲古寺晚鐘，
繡一痕僧影朦朧，
人我皆夢，
生化無窮。

種夢

種夢的田疇啊，
夢都美得冒出芽來了。
這一大片燃燒的綠焰啊，
烹煮出一鍋滾翠的四月。

舉天空爲透明之杯吧，
乾一杯晨風的甜酒；
我們預祝這懷孕待產的土地，
每粒種子都張臂呼喚著青春。

泛夢的田地之海啊，
夢都浪漫出花果來了。
這萬頃澎湃的翠潮呀，
正疾駛著一艘豪情的四月。

舉太陽爲永航的海典喲，
夢之手，正緊握著豐年的舵輪。
用大幅的歌聲結帆，
用亙天的希望做槳呀，
我們壯實的臂膀，是豐年的港灣。

寫意

垂天爲幃，枕巖以臥；渴飲碧瀑，飽斷青山，做一介樵夫。

抱潮而眠，推月而起；斟霞酌斗，摘星爲佐，或做一介漁夫。

呼明月問千古，共梅花住一山；飲幽蘭之淨露，餐霜菊之英華，或做一介詩人。

——這是我在紅卷白宗間，爲民抱薪，爲國呑劍，倦時躁時，所憧憬的清逸之夢啊。

劍歌

1

荒野裡的指標，孤島上的燈塔，
狂瀾中的柱石，黯夜裡的詩魂，
霜晨中的雞聲，危崖上的飛瀑，
風雨中的樑棟，雪浪裡的征帆……
——永遠永遠，我向你們致敬禮！

2

不要渥我以浴室的香液溫泉，
我要沐向，那奔放的江河萬里。
不要向我推介，你掌中的珍珠寶石，
我長仰望，天際的河嶽日星。

3

車馬旋天地，

喧語沸人塵；
我獨向晴空，
追慕亙古的無言。

彩幟捲地流，
焰爆沖霄上；
我迴首天外，
凝望清寂的星雲。

4

以肝膽為崢嶸雲嶽，
以血淚為浩蕩江河；
遣此身做有情世界，
放此心為無窮宇宙。

情問

如果你一定要我在感傷中
化自己爲一隻酒杯，
你將爲我斟注入怎樣的火山與風雷？

果眞你要我
沿著寂寞的低歌，走向依戀或傷悲，
就請用愛編籃子，
採集我至情的微笑或清淚。

如果你一定要我
成爲啼血的詩句在紙上輕飛，
我將在憔悴的夢裡，
狠狠將自己揉碎。

如果你不能袖放出朝陽與薰風，請問

你將如何攙扶起我
哭倒在冷風中的薔薇？

海浴

浴於沸騰浪潮的海，
我是燃燒著風聲的赤裸的島。
任魚群的詩句，游成身邊的美學，
鷗鳥是我生翅的歌，
飛撲在日星之間。

放牧海上的滾滾風雷，
長虹，閃電，是我快意的牧鞭。
我雄歌萬里海疆，
看無邊激浪，迎舞千道霞光，
匯成磅礡的大合唱……

浴於海，我是裸體的島，
但洗不掉一身偉烈的希望。
啊，葬百國的大海戰史，在澎湃的腳下，

且拍醒那崢嶸的人魂，
在我多岩礁的胸膛上。

凍　葉

1

我是一首寂寞的小詩，
躺在紙上思量。
每個字都想生出翅膀，
向妳飛翔。

2

想妳，夜夜燈前，
我快要綠葉婆娑，
而變成一棵相思樹了，
一棵忍不住就要
就要哭出小紅豆的相思樹啊。

3

午夜的斗室，

像金色的山谷，
我是谷中一株毋忘儂，迎著風，
一葉葉，一聲聲，
訴唱出寂寞的深情。

4

雄飛不息於日夜，
是我的心。
奔流無盡於天地，
是我的情。
花開不凋，月圓不墜，心向不止，
是我的愛。

飛出

從蒼鷹的夢中，仰天飛出，
我是一首生翅的詩。
只因酩酊於唯美之雲，
以致，我原封的歌，
還掛在孤星的角上。

擷天無蒂，
拔海無根，
問誰能「圓」？
容我挾向翅間孵化——
一個飄響的明日。

飛小了人寰，
唱長了歲月；
我將歌聲揮化爲千里風雨，
挾一天雷霆歸去。

冷星

風在樹梢上睡熟了，
夜空和大地都已無言。
我獨浸於小樓的輕寒，憑欄，
傾聽明月的足音。

眞想掀開夜的扉頁，
讀到妳夢兒一片。
哦，這白晝的灰燼覆蓋下的我，
獨燃著灼熱的思念。

讓睡眠凋落在腳邊，
這十丈欄杆，影子邀我倚遍；
寂寞的眼睛有流星來問候，
夜老了，舌底的情語已結成紅豆。

與星爲友，和雲爲鄰，
直到夜殘、星冷、雲散、風醒，
失眠的我，將舉明月爲弓，做一獵夫，
穿過黑夜，
狩獵黎明。

懷土

把淚濕的懷念，揉碎成
一片江南煙雨；
將一袖詩情，放飛爲
過江白鳥；
——我是一幅
害相思的水墨畫。

白雲喚我歸去，
明月爲我低徊。故土呀，
在如畫的夢中，
我乃是你所惦憶的
一首哭泣的小詩。

秋夜

山，在雲霧裏伸出臂膀，
將俏麗的秋，輕輕抱起，
連同它的夜的玄裳。
那風，
舒柔淡蕩的秀髮，
那月，
光明娟潤的面龐……
都在山的輕抱裏
顯得儀態萬千，
又轉成一片清狂……
山居人家的金色燈，
小詩般題寫在窗口。
幾片薄薄的屋瓦，
幾隻醒著的風簷，

正塗抹著奶與蜜般的月色。
路徑上，有許多
　詩詞般的紅葉、黃葉，
　琴棋般的蚓鳴、蛩唱。
夜裏的每一寸睡了的秋泥，
都靜靜的，
　夢著雲層裏的月光……

秋深了，夜熟了，
溪被雲遮，夢被煙埋……
卻還留一隻晚歸的霜禽輕掠，
它將整個秋夜馱上翅膀，
豁琅琅飛回到我的
　小巧玲瓏的詩心上！

悟

裁量天邊流霞，
以勞燕飛閃的快剪。
追趕浩蕩江潮，
以慷慨飲風的征帆。

整理海角亂雲，
以一列椰林的巨梳。
溶化千山夢境，
以透天晶瑩的月色。

熬煮九秋詩魂，
以滿山燃燒的紅葉。
重溫三春夕照，
以一海鼎沸波濤。

傳送百花香息，
以一季駘蕩春風。
催生寒原炭火，
以萬頃狂舞的瑞雪。

高處

九重天掛著曬衣架，
雲層中插著竹籬笆；
簷角經常呼嘯過流星雨，
牆外有風雷飛捲，電火紛沓……

白虹在窗櫺間攀掛，
大門湧進盛妝的彩霞。
進餐時，常把那凍雲熱電誤夾，
水缸裏，總沈澱著銀河細砂……

晚上開燈，不慎扭亮了滿天星斗，
上山採果，誤拾起夜月如瓜；
啊，每次，當我寫詩作畫，
總惹得風雷動硯，星辰環飛筆下，
那滔滔雲海，總愛在紙上亂爬……

——好吧，我索性濡筆就紙，縱橫揮灑，
揮灑出一個大天文的新家。
好讓那日月星辰、風雷雨電，
全數到我詩中投宿，
向我畫裏搬家。

紅豆

鍍血的，一句話。
一滴橢圓形的啼哭。
躺在掌心，玲瓏的
尚未成煙的往事。

烈焰般的聖紅，
用詩煮成的黃昏；
爲僅有的貞潔所點燃的
一顆泣血的紅豆。

期嚮

一顆結冰的
懷土的情淚，其純粹
超過水晶；
它能酸透、一個海，
使千帆溶盡於悲戚。
是誰塑我爲一座
玲瓏的冰雕？
渾不能剪夢做翅，
破空飛去。
且讓，一顆懷土的情淚
膨脹爲至大，
鞭笞不死的北極，
堅貞透明的冬天。

隱

任他天邊，雲去雲來，
任他山外，花落花開。
任他人塵千沸，
是誰背誦風雷，
是誰翻閱河海？

且容我
吹熄一炷夕陽，
燃起明月半塊，
伴著床頭一甕雲，
活得灑脫開懷：
用琴聲淘米，
用蟲聲煮菜，
在歌中汲水，
在詩裏砍柴。

任他天外，悶雨輕雷，
任他人際，愛河恨海。
任他有多少翻雲覆雨手，
造就了人境的陸離光怪，
播弄著滾滾黃埃。

且容我
聽窗外幾隻鳴蟲，
吟哦天籟；
看翠微一椽小築，
雲遮煙埋。
　掬山影以療饑，
　汲歌聲以煮愛，
　登文峰以敲鐘，
　挽楮墨以徘徊。

掀開

掀開長天扉頁，
題寫壯麗日月，
顛倒九重風雷，
鼓盪煌煌巨筆。

放走一袖星辰，
攔住橫霄霹靂，
問誰醉墨滂霈，
教人世河海洋溢……

怒筆湧狂飆，
詩心走碧落。
墨瀋匯溶四海雲，
文思飛濺九霄月。

王祿松

家山

早晚扁舟載煙雨
移家來就野鷗群

金・元遺山句寫意

海雲無盡時，
月色長不滅；
詩卷留天地，
斗牛麗其側。

憶往

染一手的寂寞寫詩，
滿紙是扁了的淚。
與春握別，
所賸的月光和晚風的殘屑，
都幻作雲塵
溶成詩上的輕煙……

生之原上的小花啊，
昔日的輕輕的戀……
讀風，讀雨，
那寫不成行的深情，
溶斷為人生的殘愛之歌。

詩變

1

星期天像一張靜幽幽的海，
只以一冊「宋詞」做小舟，
我便輕輕渡過。

2

載著青山的祝福，白水的叮嚀，
我是一隻文學的小舟——
航，是一篇流麗的散文，
泊，是一首甜美的小詩。

3

青瓷碗中，
有我的餐點：
雲的乳酪，

月亮的煎餅；
風的冷飲中，
滲著甜冽的簫聲。

4

月是一枚圓圓的愛，
它飄下輕吻，溶入安眠的雲海。
山上人家，向叢林深遠尋夢；
夢影燈痕，在月色雲堆間徘徊。

5

子夜，窗外，
風雨打著拍子，
我的詩便在紙上唱起來了！

秋原特寫

站成一支譜架，
讓披肩的音符，邀風
飄飛出一群
野性的旋律。

秋啊，
斟注西風，醉我於草原，
搖我，吻我，
一身斑爛的夢。

滿心是夕陽的殘瀝，
一身是天河的水聲，
我忒多舌，
一棵能言的樹。

飲　者

風炒雨，雨煎風——
夜竟如此烹飪了起來。
乃趁興
化自己爲一隻杯子，
滿滿的斟入往事，
飲一杯自我。

置冷夢於枕畔，
抛熱望向明天。
權且珍惜今夕，
這一小碟的風雨，
這一小杯的自我，
倘若，不勝酒量，
就在紙上，醉成一首小詩。

雄飛

執旭日問路，
挾雄風叩關；
我騎上畫筆的響箭，
嗖一聲，飛向大韓……

化大海爲甘醴，
展漢壤爲杯盤；
笑舉晴空，
乾一杯人蔘味的陽光。

啊，我酩酊於碧落之央，
乃傾斜著走出天外，
翻一個身，
倚靠在大熊星上。

註：七十八年七月十七日，以中國畫家身分訪韓，參與國際美展活動。其間，著「訪韓詩草」一輯，本詩爲首篇，寫於飛行航道三萬呎高空。

卷十五　晚風

千里馬

——敬致宋膺先生六十壽

六十年奮鬣追風，
六十年雄姿駿骨，
文膽柔情，鋪展出
　眼底的雲月塵土；
怒筆崢嶸，震撼著
　心上的日星河嶽。
六十年薪膽人生，
六十年鐵血家國，
霜影碧蹄，獨奮雲程，
　八千里海雨天風；
文壇多士，共勵肝膽，
　二萬輪炎涼日月。

昂首長嘶，三十年來，
起文運之衰，平文壇之仄，
載毀載譽，
　都付諸雲去雲來，
事革事興，
　種種如花開花落。
而心血雄葩，汗珠碩果，
天地斯文，都寫上斑斑鬢髮。
「雙瞳比鏡懸，
四足疑雲滅。」
　蒙古血汗，燕山胡騎，
　那及你雄姿英發，
氣動高秋，風神秀猛，長思奮力，
　跨過這六十嵩呼，更看您
吐氣如長虹互天，
飛蹄傳千里霹靂！

沏茶

沏一杯友情，
沏一杯滾燙的海，
化茶葉爲千百扁舟，
滿載來藝文風采……
爲了，在人間貨賣風雷，
向天外批發山海，
看我們，
彩筆翻風濤，
顏料溶大塊，
移海潮入素紙，
提關河到腕下安排。
沏一杯田園的熱淚，
沏一杯鄉野情懷。
將胸中丘壑，縱橫灌溉，

滋潤古典，淋灑現代，
教疊疊危峰，聳立成英雄的曠世悲歡，
悠悠素水，流溢爲美人的千秋儀態，
向浩浩青史，提來一籃春夢，
探莽莽紅塵，盛出滿甌奇才……

沏一杯
曠漠中的泉影，
鬱苦後的舒泰，
引我詩魂挺秀，瘦筆花開，
向流光夢雨，
將藝術的礦脈勘採。

俯仰世代人塵，
英雄劍，烈士碑，
強光煜星漢，不爲雲蔽煙埋，
更還有一杯熱茶崛起人間，
化做綱常的山，道義的海，
長在我胸中徘徊！

後記：李淑珍女史，北平人。美儀容，饒才情，善歌詠，擅書法。爲宋膺先生之夫人也。夫人執教國立師範大學，平居以書、歌、譯著爲樂。

民國七十六年初，宋膺先生鄄來中國文藝協會聘書，諭余爲文協繪畫班教席，宋夫人亦從余習畫。夫人長余十歲，而執禮謹甚；每屆週末授課，必親爲余沏茶一杯以進，屢辭不獲，卻之不恭，手足固不知所措也。無以爲答，挹詩一章奉贈，示至謝焉。

又，汪蓮芳老師是李老師的早年學生，經李師介紹來文協繪畫班學畫。汪師的學生董然然主任，任教職于新店市校，刻正從余學畫，董師學生吳崟，亦從余學畫，——是四代師生皆從余研習畫藝於同時也。李師固多才善書，汪師亦擅於書法，出版有「濯月軒詞」一部，人秀詞精，信是才女。董師平居亦以詩書自娛，並擅聲樂，造詣平劇，資質華美。三位雖受畫藝於余，而余亦以師視之。

清芳潔白狂想曲

某天，她在編輯部靜靜的寫稿；見其白衣衫、白稿紙、與淨白之面顏，相映成趣；受其美之啓迪，遂成此詩。

播字句的籽粒，
飄藝文的幽香，
在稿紙的阡陌間，
妳展開一場小小的農忙。

一片靜裡，
互相輝映著的
白紙、白衫、
一朵素淨的面龐，
這便是一部美學啊，
一篇可人的詩章。

是妳的淨白之美，

將我的眼光反覆地搓揉、搓揉，
是妳的眉痕、唇影、髮雲、衣香，
織成了一張密網，
捕捉了我的夢幻。

當妳的筆蹟
把稿紙漸漸染藍，
我詩的小船，
便在那海藍裡啓航。

啊，彷彿依稀，
是夢是幻，
妳的白衫上有雲，
妳的素紙上有浪，
妳淨白的面龐啊，
那眉黛，隱隱的遠山，
那紅唇，港口的夕陽，
妳那小小的農忙，

全陷入了海的夢幻……

夢幻，夢幻

我竟是一隻海鷗，

在妳的「美」上飛翔！

風華

——三度受茶歸來作

觀畫展，有美女子提壺斟茶待客，據云甫自大學畢業即來此工作。其氣質高雅，嫻靜有致，印象至深。感其爲余斟茶者凡三次，歸即賦此。

她提來一壺古典，
斟下一杯晶瑩的小詩；
她提起一壺河海，
注下一脈帶歌的飛泉。
泉注溫柔，
水溶慧根，
我啜一杯姣雅的氣質，
杯中微盪溫婉的面容。
她提來一壺美學，
斟下一杯典麗的小品；

她提起一壺歲月，
斟下一杯無價的青春。
只用一臉的恬靜，
展現人間初春的美儀，
只用一雙慧眼，
唱出人間至情的歌。

她提來一壺生命，
斟下一杯光明的理想；
她提起一壺情意，
斟下一杯無言的永恒。
一壺夢夢的禮儀，
一杯盈盈的思，
一壺靜靜的美感，
一杯純純的情。

醉歌

我，醉臥爲萬里長城，
以朔風的大雪被蓋身，
高枕於塞上之冬，
震動八荒的，是我傳誦千里的鼾聲。

讓中原躺在我的肘邊，
任荒漠而來的大雷雨在我的衣角間掀騰。
戰爭，和平，像兩隻跳蚤，
常來干預我的睡眠。

今夕，我醉爲萬里長城，
醉成中華民族的生命線。
塞上的四月，將在我的身上開花，
開我一身中華民族的錦繡春。

落葉

醉飲了秋也饗足了夕陽，
它像一葉胭脂，飄墜、
墜成瀟灑的美，
哲學的靜，
墜成對大地的回歸。

它曾抽芽，抽成春的初醒，
將夏染綠，把秋鍍金，
且向朔風嚙雪，遙應那
帕米爾高原的誓願……
它曾眠、曾醒，伴風嘯雷響，
向高枝飲露餐霞，
完成一代綠的使命，
盡其一生輔花佐果的天職。

在生滅的常軌，
在再起的憧憬，
擁血淚的過往，
抱富足的青史老去……

而今，醉於一甌的秋，
扮出一代的紅顏，
它是一章嫁給大地的詩，
它是一幅美向世境的畫，
它是一個飛越明天的神奇的夢。

以你為榮

——詩贈好友藍海文

一

溯自
憂患相仍的
少年的悲歡歲月，
從關河的封面、
荒原的扉頁、寫起，
你生活的腳印，是
迤邐萬里跨越大江南北的
苦難民族的詩句，
未曾或息的抒情。

化中原爲紅葉，
寫大我的熱愛，

將坎坷的詩心，初醒的抱負，
譜向珠江之弦，
那感人的音量，
是文學季節
另一種感人的雷鳴……
如今，
高舉在時代的手中，
被烽火點燃著，你的名字，
耀亮著，
是亞洲原野上的一盞燈。
穿梭東海風濤，
而被潮汐打濕的，你飛揚的名字，
傳唱著，
是東南海上的一支歌。
跳蕩著詩的脈搏，
澎湃著愛的血液，
長青不墜、歷劫不磨的，你的名字，
震響著，

是文學史上的鐘磬……

二

你，跨騎著時間的快馬
肩畝道義的勞人，
掠過天雨的流蘇，
深入蒼穹的笑靨，
化千里航道
為友情的臍帶相連，
飛撲在
雲湧星明的兩岸之間。
為綰繫中原人物的心結，
你宛轉成藝術的彩帶；
為縫合海棠的文化全景，
你挺身做文學的繡針。
在剛被焊接的青史時間，

在亞洲，在百草繡花的綠原，
你放牧出千百的詩文集，
爲四十年的斷層歲月，
斟中原以國魂的甘醴，
溉神州以文學的清泉，
教這萬浪圓舞的翠島，
成爲故土鄉里的芳馨。

你，跨騎時間的快馬，
肩敧道義的勞人，
照明重洋的友誼，
以肝膽的慧燭；
展示雄奇的抱負，
以詠史的詩心。
搖醒文學的花季，
以挺秀的彩筆；
點燃輝煌的生活，
以燦爛的詩篇。

三

編排出風動霞溶的，
是你譽滿遐邇的詩報。
繪描著朗天麗日的，
是你新古典文學的遠景。
你自勵以勘探、精警、奮踔，
則有如寶劍山藏，
　光明浮蕩在河漢之表；
你待人以忠純、懇摯、敦厚，
則有如靈玉石韞，
精輝映現在雲岳之間。
啊，吾友！
縱眞情爲千江，
贏得明月入抱，
溶詩心到雲竇，
邀得靈鳳傳情，
更且袖拂寒星，

教中原天宇生色；
行見腕擊風雷，
看海島浪陣長青……

我們以你爲榮，
是你，崛起爲一代詩壇的戰志。
我們以你爲親，
是你輸誠爲廣結善緣的典型。
我們以你爲傲
是民族的詩域，
有萬里雄風初醒。
我們以你爲豪，
是你的靈心慧腕，
使詩運的新朵，
向時代輸香展瓣，
成爲國史的奇英……

讓我們從眞出發，

以善爲依歸，
以美爲歷程，
同心同德許下莊嚴的誓願，
展現生命偉大的遙情，
共取向——「淑世垂型」，
爲愛與光耀而生！

附記：藍海文，奇才子也。生逢邅難，早歲多艱，乃脫身荆棘，卓然于香江之濱，赤手創業以存。搦筆爲文，風雷飛走，有一夕間出以數百佳句之紀錄。遂成「中華史詩」之序篇，得五千五百餘行，乃問世；其探研之深，溶性之廣，爲「五四」以來所僅見。海文慧識、雄心與精力，皆異于常人。尤可佩者，乃在道義情深，忠誠謹厚，勇于任事。純論早期爲在台藝文界人士服愛于故土之天倫魚雁者，所耗資，足可買下香江一棟樓房；則其餘可概知之。好友待我尤厚，知我醉于畫，乃集桂林秀攝以寄，知我勘研石理紋彩，乃搜雨花石珠以贈。我體敗神倦，則貺以明目地黃丸請服。我車禍傷足，則以白藥十數包，麝膏數十帖，並天麻藥片，急爲郵之……尤以十數年來，不爲離間傷誼，不爲謠諑滋惑，不爲曠訊廢情；相勵相惜，期許以永；是知大塊有金石，蒼穹有日星焉。成詩一章，以示敬愛，詩可盡，心不能盡也。

一九八九年八月二十三日凌晨
脫稿于台北「讀月山房」

筆　讚

——爲文藝節寫——

一枝筆，只憑一枝筆，
掀起新文學的旋風，
吹翻了舊時代的平仄。
一枝筆，高舉起一枝筆，
喚醒了睡獅千年，
啓開了山河歲月。

新文學革命以還，有多少士子，
一字一燈火，照明了時代去路，
是多少心血、多少汗水，
一句一春風，消溶了九州霜雪。
新文學革命以來，是無數的篇章，
一文一狂飆，爲浩浩青史揚威，

是燦爛文心，民族大愛，
一字一星斗，爲莽莽山河生色。

快筆強於千軍箭，
一張草稿萬人敵。

文比陣還堅，
字比彈還烈，
新章走雷霆，
奇詞飛霹靂，
時代昇華了方塊字，
人海洶湧著新平仄。

一枝筆，揮動著一枝筆，
愛國熱血濃，
憂時肝膽熱，
硯池裡巨浪翻飛，
怒筆下風雷交作。

堆翠

獨起獨高雄入漢
相輝相映翠成堆

北宋・宋咸句寫意

千枝筆，萬枝筆，
攻百城而無聲，
殲千軍而無跡；
阻遏了滄海橫流，
確保住金甌無缺；
收盡那滔滔的長江淚，
煮沸了滾滾的黃河血！

端　陽

——詩人節．屈原祭——

九嶷山的巨石，可崩可碎，
但碎不了的是
你崢嶸的人格，上映著白雲片片。
汨羅江的水浪，可枯可竭，
但流不盡的是
你奔騰的熱血，浚引著河海千彐。
滌穢歸仁，千秋器識的典型，
是何等的輝煌，顯赫；
「心月孤明，光吞萬象」的人格，
是何等的挺秀，崢嶸！
你以不二的忠貞，錘鍊百代人豪的品格，
吞吐一生的純潔，砥礪萬古人間的詩魂。

用黑夜趕路的步音，
　替代了黎明前的鼾息；
用山河風雨中的雞鳴，
　替代了夢裏的明月簫聲。

引楚辭爲宮商，
你彈動汨羅江爲一根歷史的琴弦，
　而迸噴出，漢賦唐詩宋詞元曲的四代音符；
舉離騷爲火苗，
你點亮九嶷山的旭日爲文學的神燈，
　而普照著，百千萬代煒煒的詩魂。
捕捉極致的美，
指認頂點的眞，
在片片風雨中，你將詩句化做聲聲呼喚，
呼喚祖國的大愛與深情……
　當你坦露的眞誠被蔑視所遮掩，
你光明的人格被黑暗所損捐，

當你的心靈沉澱成楚國的黃昏，
情緒碎散成湘水的浪紋，
你孤憤與悲，便化身爲千年的湘累，
迎風揮淚爲蒼生的霖雨，
披髮歌哭成大地的奔霆。

……………

啊，那星沙夕照，湘水歸帆，俱已長逝，
但繼起的，且看今朝，
百沸的心胸，是時代壯麗的日出，
憂時的情結，震動著世紀的麾旌，
在你詩的權杖引領著的，這嶄新的一代，
已涉過荆棘飛沙的歧路，水寒草苦的歲月。
彩筆吐晴霞，詩章萬卷鋪錦繡，
丹心映日月，道貫千秋放光明。
你啓迪下的
一代華國文心，淑世深誓，
長伴著耿耿精忠，

感應著大地斯文……
袖口飛放霓虹，昇華了人間春霽，
腕下揮發風雨，凌駕了接天雲濤，
這繼起的一代啊，
呼喚著你，屈原，
迎向破曉的東方，初醒的世紀，激昂的時代，
讓不朽的詩魂化爲怒濤千丈，
飛揚奮踔，慷慨在天地之間。

詩魂禮讚

啊，是誰在行吟澤畔？他——

用宏麗秀異的思想、纏綿悱惻的感情、貞潔忠純的志慮、和豔溢錙毫的篇章，將那麗如晴空、美如夕陽的生活編織。

啊，他——

以流光自照的品性爲佩飾，以馨香遠播的德行爲手杖，採蓮葉以爲衣，集芙蓉以爲裳，朝飲木蘭的墜露，夕餐秋菊的落英，遺世自潔、徘徊歌哭在人間。

「攬茹蕙以掩涕兮，霑余襟之浪浪！」「長太息以掩涕兮，哀民生之多艱！」他憂時的熱淚，滴將下來，熨暖了苦難的土地；他長歌的呼號，仰向蒼天，呵氣成爲聖潔的白雲……

他啊，三閭大夫屈靈均。

「驚才風逸，壯志煙高」，他的生命之花綻自苦澀的國土，在哀鴻荆棘裏，寶愛著雲霓般高潔的氣質，金玉般輝閃的精神；在清濁同流、醉醒一夢的世界裏，他獨鍾情切，煉就了堅貞沸鬱、絢麗悱惻的一顆詩心。

他「博聞强記」，「嫻於辭令」，是了不起的文學家；他「造爲典憲」，「以出號令」，是了不起的法學家；他「接遇賓客」，「應對諸侯」，是了不起的外交家；他「圖議國事」，「明於治亂」，是了不起的政治家；他「舉世混濁而我獨清，衆人皆醉而我獨醒」，是了不起的愛國志士；他「濯淖污泥之中，蟬蛻於濁穢，以浮游塵埃之外，不獲世之滋垢，皭然泥而不滓者也」，是了不起的青史偉人啊！

然而，信而見疑，忠而被謗，義而陷佞，潔而蒙垢；晶瑩的珍珠，竟遭貶於魚目；鏗鏘的洪鐘，還埋陷於瓦缶。那滾滾泥丸，否定了蒼蒼的碧玉；那壓壓鴉群，噪逐了白麗的天鵝……

啊，誰的淚水清得了人間的濁波？誰的哭聲搖得醒天外的星辰？誰的泣血丹心，挽得住宗國茫紅的落日？誰的盈胸悲憤，托得住崩坼毀墜的乾坤？啊啊屈原，你哀歌狂哭，撐不穩那傾斜的天體。你含淚伸手，搖不醒那昏迷的國魂！

倘若你學那蘇秦、張儀、甘茂、犀首之流，周遊列國，迎合人主，際會風雲，圖取富貴，憑你的良謀遠策，風儀文采，則定然如拾草芥。倘若你親近那靳尚、子蘭、寵姬鄭袖之黨，進退應對，吹拍逢迎，同流合污，以獵功名，憑你的靈才秀異，縱橫捭闔，則定然易如反掌。

然而，不屑親近那妖葩毒草，污辱你蘭蕙的資質，不屑因那溷水污泥，損壞你玉琢的精神。

於是，你走向那「浮玉宇，接銀河」的滄浪之水，你披髮行吟，抱頭痛哭於大澤之濱。你晝看「舟楫出沒於前」，夜伴「魚龍悲嘯於下」，讓那「上下天光，一碧萬頃，沙鷗翔集，錦鱗游泳」的洞庭湖，以纏悱沈鬱之姿，輕輕地落入你的新章「九歌」之間。

眷懷宗邦，你看透嬴秦的「遠交近攻」詭策，洞若觀火，瞭如指掌，你知悉敵國蠶食諸侯的企圖與野心。外有賊，內有奸，有誰能挺身而出，從容肆應？上蒼穹，下澤野，你被放逐，遠了京畿，寂寞在天地之間！

啊，豈忍看這煌煌的晴空日月瀕於隕滅？豈忍見這芬芳的民族大地指日淪亡？豈忍見强秦大敵的弓矢，要射落楚君頭上的冕冠？豈忍見哀哀生民在匆匆淪入血劫的永夜與暴政的魔掌？

你披髮長歌，含悲的怒眼指向天心滾響的風雷與日月；你狂搖彩筆，讓典麗的雋句横亙爲萬古長空的怒虹。你恨奸佞專横，惋惜君王無力，怒拍九嶷的群峰，讓熱淚匯漲入八百里的洞庭。你以愛國的狂情，熨溫連天的芳草與遍地木石，你以憂婉的心曲，追逐風暴流雲長空麗日而唱響了震撼百世的離騷之聲！辭麗而旨大，意惻而情綿，喻邇而義遠，文約而情永。上承風雅，下啓漢賦，揚筆而見星辰麗，擲地而作金石聲。

桃花港，依偎著鳳凰山；天問臺，比鄰著汨羅江。宗國千年痛，幽蘭萬古香。九嶷恨蒼蒼，湘水碧茫茫，斯人歌，斯人哭，斯人一去不復還，長留詩膽放光芒！

感謝

感謝，仁慈的上蒼，
輝我以星辰日月，
載我以大地河山。
雨露風雪，四時演化，
　暢天道的盛德；
否泰相生，緣運消長，
徵人事的行藏。
我俯仰視息，順天行止，
在悠悠流光裡，
感到生機化育的迴環。
感謝，仁慈的上蒼，
我畢生涵泳、食德，永不忘！
感謝，偉大的舊邦，
先聖先賢，奠立萬年基石；

國士心，英雄血，構成青史棟樑。
上承道統，鼓舞著文明教化；
薪膽鐵血，維護著國祚安康。
山岳穿雲立，
河海起波光，
回顧是，百代千秋節義，
展望成，人間萬古綱常。
感謝，偉大的邦國，
我畢生効命、捍衛，永不忘！

感謝，可愛的家庭，
慎終長追遠，福澤源祖德，
劬勞生白髮，慈愛念爹娘。
天倫至意，溫馨溶髓骨，
手足深情，道理貫心腸。
窮泰委天命，
貴賤亦尋常，
淡泊能致遠，

結緣有長歡。
感謝，可愛的家庭，
我畢生信靠、依戀，永不忘！

感謝，師友的召喚，
吟哦經卷，吞吐大荒；
鍛志如鐵，養心若蘭。
高誼共崑崙生色，
慧言如河海聲揚。
授業解惑，智識的勘探；
排難紓困，愛心的輸將。
風雨生信心，憂患勵肝膽，
大地起謳歌，日月共低昂。
感謝，師友的召喚，
我畢生受教、期勉，永不忘！

生命有涯，
蒙恩無量，

身心有限，
載福何長！
願獻此心血力量，
奔赴向崇高的召喚。
感念共長生，
報恩心常在；
生命有盡期，
謝忱浩無疆！

附錄

絶句與律詩

行蹟 (一)

撫山拍海入清峨
覓夢尋詩快意多
勝似青春行樂日
雄聲擊節視誰何

行蹟 (二)

燃霞煮夢興何長
挈月題詩夜亦香
更喜輕身縱霄漢
閒依北斗瞰玄黃

醉墨

醉墨清香動
狂文意氣豪
由來性奇崛
彩筆起雲濤

遣興

詩愫白雲深
文思滄海闊
長毫潑墨時
浩氣恒嵩拔

獨遊

嶽色濾新愁

河聲淘舊恨
清風伴我遊
野趣盈方寸

吟興

熱飲夕陽風
冷餐滄海月
朗吟天地寬
浩氣清我骨

域外二友

好友黃雍廉（汨羅），氣逸才捷，寫詩常能應聲立就，傑作異于常人。旅澳十餘載，藝文聲華籍甚。憶當年相別，祿松沾巾數月。

好友藍田（藍海文），旅港多歷年所，爲詩畫兩棲才子。近曾在三日內成詩一集「昨夜不是夢」都一百零四首。爲新古典主義文學代表作。

二友敦厚忠懇，眞誠大度，常在念中，感而賦詩：

澳陸高才一汨羅，詩泉筆露傑篇多，
凌雲意概驚河嶽，聲華域外造嵯峨。

繪事

香江釀碧見藍田，銳筆鷹揚域外天，
夕勵丹青朝勵墨，詩中怪傑畫中仙。

筆下青山翠欲流
腕間月色皓千秋
由來詩畫同源脈
無限江天一例收

畫醉

鐵膽文心負一生
孤懷落寞欲無聲
風流唯有長毫筆

繪遍山河夢裡情

即　興

八十一年十月六日，「中國作家協會」集會於台北市，會中司馬中原先生發言，盛讚鍾雷先生有句「晚晴如曙」。祿松一時感發，即席賦七絕一首呈鍾雷先生：

晚晴如曙耀堂堂，
海嶽同春健又強；
更喜紅霞歸去後，
華燈十萬勝朝陽。

鍾雷先生覽畢甚悅，將詩遞給主席程國強先生。主席當眾宣佈「今天好會有好詩」，促祿松當場朗誦，掌聲激盪中，宋瑞先生喜甚迎來索詩，把臂示賀，腕力如鐵。與會諸老諸友，一時咸稱歡快。

長　風

長風皓月掀天至
麗水雄山動地來

搗碎功名蝴蝶夢
笑吟詩句上蓬萊

飛　筆

袖縱風雷轟霹靂
胸涵日月駕雲濤
奇男有夢雄天地
飛筆人寰敢自豪

船　行

高揚百尺帆
縱放四時風
入眼雲濤白
船行宇宙中

詩聲

詩聲嘯海嶽
鐵筆翻風濤
立地奇男子
長歌抒鬱陶

悵憶

詩懷汨羅（澳洲）、海文（香港）、明華（美國）、世中（隱了）、雲惠（嫁了）、東海（遠了）、漢宗（不知去向）。

悵憶當年翰墨緣，彩雲散後夢如煙。
清謳一齣人含媚，讜論連宵意欲顛。
聲曲飄蕭明月夜，酒風揉碎夕陽天。
文腸詩膽歡糾結，嘯集良朋踵昔賢。

枕覺

枕爛崑崙軒正長，眠中海嶽幾滄桑，
九州鐵血虎狼暴，七海兵塵雷電狂。
動地啼痕溶髓骨，橫天災劫碎肝腸，
南柯蟻戰千秋夢，揉眼甦來猶怵惶。

有勵

濺墨如潮浩不收，長年飛翰映斗牛，
才情激盪風濤健，賦性清純霜雪侔。
夢影心痕緣宿慧，柔情傲骨信前修；
青春快意知何似，縱筆千秋壯藝游。

蓬盧

一箇蓬盧傴嶺泉，空青頑碧結長緣。
花林有蜜香彌著，石路滋苔色蔓延。
日影柴門喧鬥雀，風聲草院引歌鵑。
深情竟歲詩書畫，蹟隱煙霞不計年。

揚長

揚長一筆蒞神州，縱墨揮毫得意秋。
棒喝謀誅除盜蹠，詩宗志節慕師丘。
吞雷吐電情何烈，挾岳超洋志底酬。
待得凌雲高處去，倚天奮臂摘斗牛。

附錄

年表以外的故事

杏林子

朋友要出一冊詩畫集。

朋友是一位詩人，也是畫家。其詩鏗然有金石聲，其畫溫婉靈逸，是位才子。認識多年，相知頗深，當他要出書之時，便義不容辭一肩擔起編輯大任。

擬好編輯的方向、內容，決定版面的大小，開始在他眾多的畫作及詩作裏做一番「淘金」的工作，種種限制，選輯時頗見猶豫掙扎，取捨兩難。

接著將其他文友一些評詩論畫的文字摘為序記，加上朋友本身多年繪畫的心得，合成一本完整的詩畫集。

然而，編輯的過程中，總覺得若有憾失，朋友之為詩人為畫家，豈是天生偶然。遂建議說：「編一份作者年表吧！好讓讀者更清楚你創作的歷程，成長的軌跡！」

仲秋已過，我在燈下一條條仔細審視著朋友的大事紀錄、筆記資料。長夜如詩，恍惚中彷彿在翻閱一頁頁泛黃的歷史，已然不知覺中走入他的生命，他成長的時代，以及那個時代的中國，隱隱之間有風雷躍動，大地呻吟……

民國二十一年。中國剛剛掙脫古老帝國的桎梏，重整被軍閥割據破碎的國土，傷痕宛然，喘息未定，卻又爆發了九一八事件，東北大好山河淪入日敵之手，而北邊「北極熊」也正虎視眈眈隨時準備吞噬中國這塊肥沃豐饒的土地。「山雨欲來風滿樓」，在這樣一個動盪不安的時代，詩人，誕生於海南島。

年高的祖父欣喜他期盼已久的孫兒，王家的香火傳遞者。然而，面對多難的國勢，清貧如洗的家境，這小小的嬰孩又如何面對他成長的艱難，生命的風雨呢？

祖父給他取名松。希望他不屈如松，傲然如松，逆風雪而挺拔如松。松，是要紮根在巖石中，在堅實的土地中，在雷轟電擊的考驗中。

民國二十六年。詩人五歲，開始接受啓蒙教育，父親教導他的竟然是這樣的課本：

第一課

血！血！血！

中國人民流的血！

第二課

火！火！火！

日本鬼子放的火！

第三課

日本鬼子，

殺人放火！

怎樣的父親啊！竟然一開始就教授幼小的孩子背負民族的大苦難。就在這時候，日本鬼子完全暴露它侵略的野心，全面抗戰開始，全國軍民熱血沸騰，同仇敵愾，即使是一名幼小的孩子，做父親的也不願他懵然無知，因爲，國家是每一個人的，禍福與共，血肉相連，沒有誰能逃避。

朋友的父親，早年畢業於上海大學文學系，雖然一生從事教育工作，但知識份子同樣有澎湃的情感，家國民族的大義；同樣會爲侵略者的獸行切齒，爲土匪的橫行肝膽俱裂。

父親也教他繪畫。只是，在這種方式教育下的孩子，他老是喜歡畫軍人端著一支槍，要不就是飛機、戰車、軍艦……在他小小的心靈中，是否也希望多畫出幾隻槍、幾門炮，多畫出一些鐵打的好男兒來把那些可惡的敵人趕跑？

民國二十八年。從戰事一起，外有强敵壓境，內有土匪興風作浪，朋友的父親爲了維持地方上的靖平，毅然放下教鞭，擔任當地的游擊隊政工工作以及三港村的村長一職，也成爲土匪的眼中釘。

一天晚上，他的父親正好宰殺了一頭羊，款待村裏幫忙的年輕人，吃完飯一起到井邊洗澡，一批土匪摸進他的家門，將他的母親吊在屋樑上拷打，迫問他父親的下落，他母親哭著喊著，抵死不說。

當天晚上，朋友的父親就正式加入了游擊隊。

隨後不久，他們全家一起流亡在荒山野嶺之間，輾轉至「銅古角山」。這座山並不算很高，卻山勢險峻，危巖聳立，每天一打開門，整座大山就迎面襲來，有一種驚心動魄懾人的氣概。朋友日夕接受著山的洗禮，風濤海濤，在他童稚的心靈烙下一生的痕跡。

民國二十九年，朋友八歲，時勢的逼迫，朋友的父親不得不別了妻子和三個女兒，帶著他遠走尚未陷落的廣東。

父親教書，他就讀於當地太平小學。整整有七年時間，他和父親兩人相依為命，做父親的將他一生所學傾心傳授給他唯一的愛子。

他們居住的寢舍原就是一間教室改裝，牆壁上猶留有一面大黑板，父親就在那上面教他詩文，教他數理。教了一遍，父親問他會不會，他搖搖頭，父親和顏說：「好！爸爸再教一遍！」

再教一遍兩遍還是不會，父親望著窗外嬉鬧的學童，微微一笑。「爸爸懂了，你出去玩一會兒吧！」

總要循循善誘，直到他心領神會，完全吸收為止。父親教他書法，練的是顏眞卿體，因為顏體字端正弘大，父親要他一生行事為人也是如此。

為了他的學習，做父親的盡量收集各種資料。那些年，朋友的課外讀物就是父親細心剪貼成輯的「鉛筆畫選」、「時代漫畫選」、「抗戰木刻作品選」、「衛國健兒傳記」、「偉人傳記」、豐子愷「客窗漫畫」等，不止教他知識，也不斷灌輸他家國情操，民族意識。

猶記得長沙陷落的消息傳來時，尚念小學的他放聲大哭，父親一路牽著他的小手回家，旁人不明白他的慟哭，惟有父親知道，他小小的胸膛也是一腔碧血，滿腹熱愛，雖然他還不能很清楚的分辨國土淪亡，百姓流離的痛苦。

每晚燈下課讀，是他們父子最親密的時刻，總會不由的思念遠在家鄉的母親和姊妹。流浪多年，歷經人世滄桑的朋友，至今仍然覺得世上沒有一個家庭像他的家那樣溫馨甜蜜。雖然他們家幾代寒貧，窮到狐狸在家中做窩，然而，有一些東西是貧賤也不能磨損不能剝奪的，比如志節，比如骨氣，比如愛和歡樂！

永遠教人忘不了的是每晚飯後，他的母親點起桐油燈，一家老少團團圍坐一圈，母親帶著他們一首一首唱著歌，唱兒歌，唱民謠，還有那百唱不厭的抗戰歌曲。一直到今天，他的喉管仍不時湧動著如潮水一般的音符。

風在吼，馬在叫，

黃河在咆哮！

萬山叢中抗日英雄眞不少，

青紗帳裏游擊健兒逞英豪！

端起了土炮洋槍，揮動著大刀長矛，

保衛家鄉，保衛黃河！

保衛華北，保衛全中國！

唱著唱著，情緒激昂了，唱著唱著，血脈賁張了，唱著唱著，一家人的心連結在一起，他們就在這樣的歌聲中長大。

民國三十四年，朋友十三歲。八年艱苦抗戰最後勝利，舉國歡騰。第二年，他們終於回到家鄉，全家團聚。離散七年，一家大小沒有失掉一個人，在戰亂中是多麼難得，多麼可貴，那種骨肉重逢的狂喜瀰漫著家中每一個角落，讓他覺得人生好幸福好幸福！

讓人心疼的是母親蒼老了，風霜將她擊打得堅韌而剛强。受過高等教育，在文學上有著極高才華的母親，這個會寫詩會寫小說卻苦於無處發表，不時在桐油燈下將自己的作品唸給兒女聽的母親，在他們父子離家的這一期間，一肩挑起生活的重擔。養豬、種蕃薯、販煙絲，賺取一點蠅頭小利維持家用。

天潮，煙絲生霉，窮極之餘，試用豬油炒一下，沒想到竟然別具風味，四鄉的人紛紛選購。

「四嬸嬸，妳的煙絲有一種特別的味道！」

日子過得極其艱苦，精神上尚要受到日寇土匪騷擾，唯一支持他活下去的力量就是丈夫千辛萬苦托人捎回來的長信，每一封信都是希望，都是心靈最大慰藉。他把一封封信壓在枕頭底下，每日清晨先看一遍才起床下地，面對一天的生活。

而今，天倫團圓，所有的眼淚都可以化解了，所有的創痕都可以平復了，噩夢已經過去，抗戰勝利了，國家太平了，但願——但願從此再也沒有戰爭，再也沒有國破家亡，骨肉離散的傷痛，再也沒有流離失所，無家可歸的遊子。

民國三十八年。十七歲。朋友的父親一直認爲他在繪畫上有極高的天份，平生最大的心願就是送他進杭州藝專接受完整的藝術教育，可惜家裏實在太窮，雖然他的父親當時擔任子文師範的校長，後來又擔任聯東中學的校長，但微薄的薪水仍不足以養活一家十餘口，他只有改念高農，這是他父親一生的憾恨。

寧靜的日子短暫得像夢，尚來不及咀嚼它的甜美，時局再度動盪，他連職校生涯都無以爲繼，只有輟學到宗儒小學教書，帶著孩子們唱遊，畫畫。在急驟惡化的政局中，心頭的陰影也越來越大。

民國三十九年。一夕之間，山河變色，先總統　蔣公退隱下台，全國百姓人心惶惶，當此國家危急存亡之秋，好男兒不報効國家，更待何時？

他奔向軍中，奔向國家的召喚，奔向永無止盡的聖戰，從此與父母親家人天涯永隔，長恨亟亟。然而，在面對整個民族大割裂大破碎的傷痛苦難中，個人的遭遇又算得了什麼呢？

這一年，朋友十八歲。

一開始投効的就是野戰部隊。沒有鞋子，自己打草鞋穿，沒有床舖，鋪上稻草就是窩。每天凌晨天不亮就起床打野外，一直行軍到夜色籠罩，大地無光。兩腿的內側長滿疥瘡，痛得舉步維艱，可是不能退縮，無處退縮，不能逃避，無路逃避，瘡疤好了又破，破了再結。那是一段不敢回憶的日子，所有少年的夢想都被輾碎，所有少年的歡笑都已凍結，思想停頓，性靈麻木，腦子裏唯一知道的就是戰鬥、戰鬥、再戰鬥……就在這種嚴酷的軍事教育操練下，把一個原本多愁善感的荏弱少年打磨成鋼鐵一般的強壯，挑得起滿天的風暴，扛得動時代的重擔。

民國四十一年，朋友二十歲。就在這一年，朋友一生從事教育、個性耿直、嫉惡如仇、與敵人週旋數十年從不肯妥協的父親終於爲敵人殺害。

就在文昌中學的教室內，幾個武裝士兵氣勢洶洶，一湧而入，把他正在上課的父親當堂架走，解往鄉下，不容任何辯訴，立即槍決。全校師生鼓起風潮，要攻打文昌縣政府，無奈在那樣一個暴力的統治下，是沒有什麼公理正義可言的。

據說，遇難的那一刻，天昏地暗，亂鳥飛鳴，一代忠良把他自己化爲祭壇，用他的鮮血澆奠在他所熱愛的土地上。

消息傳來時，朋友裂眥指髮，心肺俱裂，熊熊怒火在他胸中燃燒，千度鐵漿在他心中溶解沸騰，這不共戴天的血仇，這沒齒難忘的大恨，他讓自己保持絕對的清醒，用整個心靈整個意識去感受那種椎心的痛苦，因爲，他不能忘，他不敢忘，血債總有一天是要用血來償還的。

午夜夢迴，想起父親的教導，父親的期盼，父親在他身上永不遏止的關愛，便禁不住心如刀割。天哪！他已是無父孤兒，今生今世，他到哪裏再去回報父親的恩澤大愛呢？這一代的孤臣孽子，已經沒有流淚的權利，他咬破自己的手指，用流自和他父親同一血脈根源的鮮血寫下四個大字「男兒爭氣」。他要爲父親爭氣，爲王氏列祖列宗爭氣，爲億萬大中華的好男兒，那些不甘屈服不肯投降的人爭一口氣！

他給自己排了一張自我進修的課程表，規定每天讀書、練身的進度，並且準備了一把戒尺，足足有一尺半長，五、六公分寬，若是達不到自己的要求，就狠狠抽下來。他告訴自己，要打，就重重打，不要欺騙自己。

部隊裏的生活實在緊張，一天的操練演習下來，已經是精疲力竭，可是仍然不肯放鬆自己，只要有一滴力量，他會拚命擠出另一滴力量，寧肯犧牲睡眠，也要把書看完。苦讀的結果，他考上了政工幹校。

色共明霞映夕陽

野園煙露濕芳甜

幹校，是另一學習階段的開始，他對自我的督促更加嚴厲，每天早上四點鐘，他要站四到六的衛兵把他喊醒，用乾毛巾胡亂擦把臉，就開始看書，數年如一日，那一段時間他瘦得別人都誤以爲他得了肺結核。當我看到朋友早年一冊冊裝訂成厚厚的筆記簿時，不禁爲之震驚，上面密鴉鴉蠅頭小楷書寫的全是他讀書的心得、札記，而這樣的筆記在他竟然有五十三本之多。

爲了學詩，他把當代詩人所有的好詩一首首謄錄下來，反覆誦之；爲了弄通修辭學，他找遍台北所有的書店，買下所有版本不同的修辭學，整本整本往下背。

在戎馬倥傯中，他「把握每一點斷想和靈思，珍惜每一分一寸的零碎時光」，生命遂變成永無止境的學習、吸收和消化。

民國四十六年。二十五歲這一年，朋友的生命史上又遭逢了一次大摧折，他摯愛的母親，生他、育他、劬勞一生的母親過世了。消息模糊不清，不知是爲敵人殺害，還是憂慮過度病逝，總之，母子間最後這一條精神臍帶也被無情的斬斷，從此他已是無父無母之人。他痛啊！他恨啊！他呼天，天不語，他喚地，地不應，他要向誰控訴！向誰抗議！向誰討回天理公道，還他的父親，還他的母親？

從那個時候開始，他把滿腹悲憤，一腔怒火化作文字；拿破崙說過「筆鋒比劍鋒更犀利」，他要用筆來見證這個時代的大悲劇大浩劫。他狂熱地投入詩的創作，他形容自己「我是用憤懣的魂，悲酸的淚，愛的甜蜜和搏鬥的辛辣來冶煉我的詩，而也讓詩冶煉我。」

他懷念童年的歡樂，家庭的甜蜜，寫下「懷鄉」的詩句：

父親的短髭，
總是堂堂地掛滿了三國志的兵馬。
母親嘴裏不時跳出安徒生童話裏的
那位賣火柴的姑娘。
當窗玻璃描寫冬神的景致，
我們便笑對畫軸中的大春山
激起闔家的歡唱。

……………

他思念慈母，哀傷天倫的破碎，於是，寫下「飲恨再生離」的詩篇：

生離于憂傷的歲月，
死別如枯萎的落花。
母親啊！你也曾抱吻愛兒，
在苦澀的命運和甜蜜的希望之旁。
可是，烽火灼傷了祖國，
故鄉被紅色的彈道吊在絞刑架上。
塗滿了笑聲的天倫樂，
變成了餓虎饞吻邊痙攣的羚羊。
還記得，三月初七，

夕陽無語對人黃的時節，
大風暴的腿腳，
跨進了瓊州海峽的走廊，
戰爭在轟響。
大時代暴跳如雷，
我冒著鋒鏑——
跳上中華民族的救生船：台灣。
啊！您不見了唯一的獨生子，
便抱著黃昏痛哭，
（老淚浸熄了夕陽），
從那天起，
您脫下一身快樂的生活，
長坐在那憂鬱的龍眼樹下，
向歸期莫預的天涯愛兒，
巴望——巴望——巴望——
…………

他歌頌故國美麗的疆土，大好山河，寫下了五萬餘字的「萬言詩」。從對故鄉的眷戀開始寫起，寫三山五嶽，寫長江黃河，寫秋海棠葉上各省優美的形象，以及中華史蹟從未有的人造大悲劇。

啊！

我怎能忘：

每當健壯的旭日，

邀舞大海的怒濤，

那熊熊的陽光如劍，

直逼入西方：

在靉靉的白雲深處，

有我龜裂了的，

無限的莽莽江山。

它給我以無邊的繫念，

給我以深沉的，

徹骨的嚮往。

雖然，

它們已破碎，

但在回憶的行宮裏，

仍然是耀熠輝煌！

忘不了長江如帶，
它繫著萬代民生的財富，
忘不了黃河如練，
它連繫著民族的精神力量，
忘不了珠江如戟，
它發出捍衛民權的威光，
忘不了黑水如臂，
它擋過百年來的熊虎囂張，
忘不了廣大的幅員，
是祖先遺留的
一葉錦繡的秋海棠……
………

名詩人鍾雷先生在跋記中極力推崇這一首詩壇少有的巨構時說：「作者揮發著誠摯而又深厚的民族情感，謳歌著忠貞而又濃郁的愛國熱忱，把他的生長而冶鍊於革命戰鬥中的意志和情操，化爲沸騰的鮮血熱淚，化爲燃燒的詩興豪情，以痛苦的煎熬昇華爲淋漓的抒放，奔騰澎湃的寫下了這首長達五千八百七十四行的萬言長詩。」又說：「讀『萬言詩』，令人有拔劍起舞，投鞭斷流的如虹壯志，讀『萬言詩』，令人有痛飲黃龍、勒石燕然的凌雲雄圖……」

而朋友最爲燴炙人口的是他的戰鬥詩，眞箇是萬馬奔騰，豪情萬丈，且看他在「鐵血詩抄」中的一首「戰歌」吧！

我慷慨地扭斷了心弦狂奏出的大悲泣，
我撫摸著槍的臂膀，熱吻著戰馬的櫻唇。
在心的頑石上，我用熱血磨亮鏗鏘的詩句，
復在大軍旗的投影下長嘯一隻世紀的征歌！

不計乎將變成一泊凋殘的血花或沉睡的枯骨，
要在子彈的雨季裡，擁抱戰場的豐收！
啊，看我用大刀做犁，耕耘那荒蕪了自由的大地，
——知否我的仇恨擁塞在心頭，似葡萄結滿了深秋……
……
給我以凱旋門，或給我以國殤，
我的大刀！我的戰馬！或「一去不復還」！

在創作的過程中，朋友說：「每一個日子都是一把火！焚焦我魂，煮沸我血，生命像是在詩神面前舉行大火葬……」「高歌激昂處，輒爲拍案擲筆，眦裂髮指，有時恨不得將整個生命做一次强烈的爆炸和昇華，藉以平卻心頭的千重壘塊……」

正因爲經歷了人世的大苦痛大掙扎，他的詩「著重氣魄上的發揮，與剛陽性的顯露。

一大詩人紀弦先生形容說：「他的詩有個性，風格與眾不同，充滿在他詩中的，有一種鏗鏘的刀劍聲，一種鷹的呼喊，和一種澎湃的海潮音。」

朋友的詩受到當代文壇的重視，不斷獲得各項榮譽獎勵，前後計有國軍文藝金像獎，中山文藝獎，國家文藝獎等三十八次，他的詩也不斷被各級學校、團體用作朗誦的範本。他——被封為「鐵血詩人」。

趙岳山先生在撰寫「滾滾遼河」時說：「生命寫史血寫詩」。他們那一代的青年，生命都是用鐵和血鑄成的。

中年以後，朋友寫詩之餘，重拾畫筆，並從王舒先生學渲染，從文霽先生學寫生。或許是因為一生顛簸，內心深處有一份對於寧謐安恬的田園山水境地的渴望，因此，筆下也是一派雲淡風輕，不露煙火，加上詩人特有的敏感與悟性，更使他的畫面多了一種詩的飄逸與靈氣，塵慮盡消。民國七十一年，他五十歲生日前夕，特別于省立博物館開了一次「新詩水彩畫展」，以紀念父母藝文教育，半生歲月回顧。

朋友也開始教兒子寫字、畫畫，把當年父親教他的教給兒子。年輕時的筆記、資料，那幅「男兒爭氣」的血書也都完整的保存著，一一傳給兒子，要傳的還有上一代的典範、精神。他相信只要香火不滅，人心不死，我們總有一天會回去的。

前後忙了兩個月，編輯的工作總算告一段落，合上所有的資料，不由撫卷長嘆，放眼今日社會，多的是靡靡之音，多的是苟安心態，到哪裏再去聆聽鐵馬金戈，剛陽雄健的黃鐘大呂之聲？喚醒這一代的青年，遙遠長安，王師未定，我們還有更大的使命擺在面前。

而我們的詩人沉寂已久，莫非英雄眞的怕見白頭，還是詩人已經收起他的寶刀，藏起他的戰馬？

詩人啊詩人！君不見于右老七九高齡，猶能放懷高歌：

不信青春喚不回，
不容青史盡成灰；
低徊海上成功宴，
萬里江山酒一杯。

江山不老，青史長留。我要編的又豈止是一份年表而已！

——原載「讀雲」詩畫集

王祿松年表

民國21.年 1.歲

・五月，誕生在海南島儋縣，仰承祖父佩卿（載實）公賜名為祿松。父王亦民公，母吳劍華氏皆畢生從事教育工作。

民國22.年 1.歲

・回故鄉原籍文昌縣。姐靜君，大兩歲。

民國24.年 3.歲

・與祖父相處約兩年。

・幼年多病，折磨母親至極，母子同瘦，妹寧君生。

民國26.年 5.歲

・父導以畫，母教以歌，並及識字。

民國27.年 6.歲

・母授「關聖帝君降筆眞經」及諸神咒。至老不忘。妹毅君生。

民國28.年 7.歲

・土匪夜襲殺害父親未遂，全家即流亡避寇匪於荒山野林間，至「銅古角山」，巨岳、天風、海濤，感印心神，影響一生。後別母姊妹，隨父入廣東。

民國29.年 8.歲

・求學於廣東太平小學。父教以書法，宗顏體。父教以詩文，改雨後詩有句：「河水高幾寸，田隴盡成災」。父教以畫法，主鉛筆素描。

民國30.年 9.歲

・父教以歌，認簡譜。父並為蒐集剪貼成輯「鉛筆畫選」、「水彩畫選」、「時代漫畫選」、「抗戰木刻作品選」、「美術字」、「衛國健兒」傳記，「世界偉人傳記」、「中國神話故事」、「中國民間故事」、「福爾摩斯探案」。散文、遊記等。

民國31.年　10.歲・父教以數理，並導以豐子愷漫畫。父每日天未亮即起早讀，乃隨之。每日唱歌。能唱近百首歌。妹郁君生。

民國32.年　11.歲・父導以各項球技、游泳、單車、拳術。

民國33.年　12.歲・就學太平中學，學業成績全校第二。

民國34.年　13.歲・學業成績冠全校。畫藝受六姨吳儒貞鼓勵甚大。書法受五姨吳儒順影響甚大。

民國35.年　14.歲・全家團聚。學業成績冠全校。時事漫畫獲獎，全縣第二名。父母教以演講術，比賽成績爲全縣第二名。

民國36.年　15.歲・攻國畫、水彩畫甚勤，醉心「蘇曼殊大師全集」，寢食俱隨。嗜讀古文賦。浸潤於三十年代諸家詩文集。妹曼君生。

民國37.年　16.歲・讀「大俠魂」深感心志。演講比賽冠全縣，歌唱比賽冠全縣，得六項錦標。

民國38.年　17.歲・讀國立高級農業職業學校。時亂、家貧、輟學。任音樂教師於宗儒小學。畫水墨、水彩畫甚勤。父教寫斗大書法之聯語，並導以金石。

民國39.年　18.歲・從軍，二等兵。演講比賽全師第一名。

民國40.年　19.歲・發表小說、散文、論文於「實踐報」。妹雅君生。

民國41.年　20.歲・父爲匪殺害。悲慟絕食。

．演講比賽冠全師。論文比賽第一名。創作新詩並開始發表於「精忠報」。

民國42年　21.歲　．赴考政工幹部學校第三期本科班。幹校演講比賽第一名。辯論比賽第一名。主編壁報代表政工幹部學校參加三軍大競賽獲第一名。

民國43年　22.歲　．任反共義士就業輔導長。幹校畢業。不慎而患關節風濕不良於行，亙十年。

民國44年　23.歲　．以詩「禮品」獲裝甲兵司令部徵詩第一名。

．以詩集「兵吼」獲國防部軍中文藝獎第二名。

民國45年　24.歲　．以「詩魂」獲裝甲兵司令部徵詩第一名。

．以長詩「南山的樂章」獲三軍第一名。

．以「晨光」膺選本年度中國詩壇六佳作之一，獲文藝優秀獎。

民國46年　25.歲　．傳聞母病逝（？）

．以長詩「無名勳章傳」獲台灣大學海洋詩社徵詩第一名。任軍官團政治教官，膺選爲模範教官。作品被選入「中國文藝創作叢書」。

民國47年　26.歲　．以「鐵血詩抄」獲國防部軍中文化獎第二名（第一名缺）。

．以長詩「拜倫的號角」獲台灣大學海洋詩社徵詩第一名。

民國48年　27.歲　．任軍中政治教官。任三民主義巡迴教育政治教官。

．以「偉大的母親」長詩獲中國文藝協會暨中國詩人聯誼會徵詩第一名。

民國49.年　28.歲　‧任歸國僑生政治訓練教官，被連續嘉獎三次。
‧以長詩「愛的肖像」獲台灣大學海洋詩社徵詩第一名。
‧出版「偉大的母親」詩集，銷行海內外。

民國50.年　29.歲　‧以論文獲陸軍全軍徵文第一名。
‧出版「鐵血詩抄」、「海的吟草」二冊。

民國51.年　30.歲　‧以長詩「總統頌」獲新中國出版社徵詩第一名。
‧以五千餘行「萬言詩」獲學藝徵詩第二名（第一名缺）。
‧出版短詩集「歸意集」。
‧出版長詩集「萬言詩」。

民國52.年　31.歲　‧醉心駢文，攻賦。獲國防部「新詩優秀作家」獎。
‧以長詩「青年們，起來」獲中國青年救國團徵詩第一名。
‧以長詩「青年的力量用不完」獲救國團徵詩第三名。
‧以散文「扶桑之戀」獲野風出版社徵文第一名。（未公佈）
‧以長詩「光明在望」獲新中國出版社徵詩第一名。
‧以散文「壯士曲」獲新文藝月刊徵文第一名。

民國53.年　32.歲　‧結婚，妻林黛麗，國立政治大學西語系畢業。
‧以系列長詩十首「碧血碑」獲青年救國團徵詩第一名。

・以「復國的樂章」獲新中國出版社徵詩第一名。

・以長詩「毋忘在莒」獲新文藝月刊社徵詩第三名。

・以散文「假如我是一個詩人」獲青年救國團徵文佳作獎。獲國防部軍中優秀詩人獎。奉命寫「中華禮讚」及「寶島台灣」朗誦長詩，國防部國軍文化服務團配製幻燈片環島訪問演誦七個月。任職陸軍總司令部，主編「忠誠」月刊。

民國54年　33歲　・榮獲中國文藝協會文學詩歌獎章。

・以長詩「河山春曉」獲國防部第一屆軍中文藝金像獎第二名。

・以長詩「萬丈光芒」獲金像獎朗誦詩佳作。代表國軍第一屆文藝金像獎大會向總統　蔣公呈上致敬書。

民國55年　34歲　・長子出世，名戰。任國防部軍中文化訪問團文藝組組長，訪問十四萬高中青年，演講九十餘次。陸軍總司令部出版詩集「光華集」。

民國56年　35歲　・至今，完成詩與文學筆記五十三本。長詩被採用為　領袖八秩華誕總統府前廣場千人朗誦大會之誦材。十年來，軍中各項戰備、演習競賽共獲十三次第一名，獲功獎三十九次，受頒寶星獎章二座，忠勤勳章一座。結集詩集「牧羊橋的春天」（原稿孤本遺失於水芙蓉出版社）。

民國57年　36歲　・全國第一次「文藝會談」擔任祕書。

民國58.年　37.歲
・以「獻給祖國的一百首詩」獲第四屆軍中文藝銅像獎。
・受知於大詩人鍾雷，任「中央月刊」編輯、副總編輯亙十七年。
・以「領袖頌」長詩獲新中國出版社徵詩第一名。
・以「嶽峙」獲中央黨部徵詩第一名，（未發表）。
・出版長詩「河山春曉」。

民國59.年　38.歲
・軍中退伍。出版得獎短詩集「巨人」。

民國60.年　39.歲
・中華民國新詩學會慶祝開國六〇年詩歌朗誦大會節目主持人。
・以「天亮了」長詩獲國防部軍中文藝金像獎第三名。

民國61.年　40.歲
・次子出世，名旋。文藝節大會由師大詩歌朗誦隊演誦王祿松長詩向總統致敬。作品被選入「現代散文選」、「百家散文選」。奔走策劃並舉辦大專院校詩歌朗誦金像獎競賽大會。

民國62.年　41.歲
・「說話的藝術」一文被選入五年制專科學校第二冊國文教材。大專院校第一屆詩歌朗誦金像獎競賽中，九所大學參加，其中四所學校採用王祿松詩，並膺第一名；大會推王祿松主持節目。第二屆世界詩人大會中國詩人代表。世界詩人大會詩歌朗誦，採用王祿松詩。作品被選入「中國文選」，「七十年代散文選」。全國學藝競賽世界新聞專科學校冠軍，採用王祿松詩。
・以「大地晨曦」長詩獲國軍第九屆文藝銀像獎。

民國63.年　42.歲
・協辦全國大專院校新詩朗誦大競賽。任華岡詩歌朗誦隊導誦。任台北師專課外活動指導老師。
・出版散文集「飛向海湄」。

民國64.年　43.歲
・以「神遊」一詩獲文藝研究促進會詩獎。
・以詩集「薪膽詩抄」獲第十一屆國軍文藝金像獎第一名。參加「現代詩作家座談會」。中國文藝協會暨新詩學會爲王祿松舉行「詩人之夜」。爲「新文藝」按月寫「題封面詩」今起連續寫了九年。
・出版詩集「狂飆的年代」獲中山文藝新詩獎。

民國65.年　44.歲
・任金像獎評審。以新詩「七月的雄飛」獲中華文化復興運動委員會金筆獎。結集詩集「故鄉，祝你晚安！」（原稿孤本遺失於水芙蓉出版社。）
・出版散文集「讀月小品」。

民國66.年　45.歲
・參加全國文藝會談。北區大專院校朗誦詩大競賽，二十一所大專院校參加，其中十所大學不約而同的採用王祿松詩，且得獎的前五名，皆爲王祿松詩。任台北女師專課外指導老師。結集散文集「海棠長青」。
・出版散文集「生命的投影」。

民國67.年　46.歲
・全國高中朗誦詩大競賽，所有參加出賽學校絕大多數用王祿松詩。

民國68年　47.歲
- 出版詩集「風雨中的國魂」。
- 青年戰士報特約一日之間寫「梅花志節」四百行詩刊出，並與「風雨中的國魂」獲第四屆國家文藝特別創作獎。開始水彩渲染畫，精確計算繪畫數量為四百二十一幅。
- 結集文藝理論集「性靈的花朵」（原稿孤本遺失於水芙蓉出版社）。
- 出版「西洋情詩選」。

民國69年　48.歲
- 全國詩人節大會頒贈「優秀詩人獎」。畫水彩畫三百六十六幅。
- 今起從王舒、文霽老師畫水彩畫約一年。
- 出版散文集「化做蝴蝶」。

民國70年　49.歲
- 自寫作至今，凡獲詩文獎勵三十八次，自此不再參加比賽。
- 畫水彩畫三百零五幅。
- 出版散文集「須彌芥子」。

民國71年　50.歲
- 畫水彩畫五百一十五幅。
- 第一次為紀念父母藝文教育，於台北省立博物館舉辦「王祿松新詩水彩畫展」，被收藏二十六幅。
- 參加水彩畫家名作大展於基隆市。
- 發行複製畫一萬三千張、小型畫一萬八千餘幅。
- 出版新詩水彩畫集「讀虹」。

民國72.年　51.歲

・畫水彩畫四百九十五幅。於國立台灣藝術館舉行「王祿松新詩水彩畫展」，被收藏二十八幅。擔任國軍文藝金像獎評審。

・出版散文集「長願水東流」。

民國73.年　52.歲

・爲新文藝月刊寫了九年的專欄新詩，今與該刊共止之。導二子繪畫，鉛筆畫告一段落，進入水彩階段。畫水彩畫四〇二幅。於台北省立博物館舉行「王祿松新詩水彩畫展」，被收藏二十九幅。

・參加國際文學會議。

・出版散文集「吉光片羽」。

民國74.年　53.歲

・任中央月刊副總編輯兼文藝版主編之職，共十六年。今年卸去工作。獲頒「勞績卓著」牌一座。

・參加國家建設訪問團。

・參加中華民國文藝界代表團，訪問香港。

・好友藍海文安排在港會親姊，抱慟久之；昔相別，我十七歲，父母尚健在也。

・任中韓作家會議中國詩人代表。

・父子三人設計製作「全國文藝作家創作展」展示牌八十張。

・應聘爲長青才藝教學中心繪畫班教師。

・應聘爲中國文藝協會文藝研習會繪畫班教師。

・應聘爲國軍新文藝運動輔導委員會文藝金像獎詩歌評審委員。
・應聘爲青溪新文藝學會文藝競賽金環獎詩歌評審委員。
・應聘爲教育局主辦中學學生詩歌朗誦比賽評審委員。
・好友藍海文自香港專誠來學渲染畫，聚三天，日夕攻研，盡得吾法；奇才子也。

民國75.年　54.歲

・畫水彩畫三百零四幅。
・應聘爲中國文藝協會文藝研習會講席。（四月）
・應聘爲白雪藝術工作大隊編導委員。（八月）
・應聘爲七十六年度青溪新文藝學會金環獎詩歌評審委員。（八月）
・應聘爲國軍新文藝運動輔導委員會文藝金像獎詩歌評審委員。（九月）
・應聘爲銘傳女子商業專科學校西畫社指導老師。（八月）
・十月一日至八日，在台北市國立台灣藝術教育館舉行「王祿松新詩水彩畫展」，展出五十幅畫，二十三首詩，被收藏二十一幅畫。
・十一月七日至十六日，在台北藝展中心參加「大自然詩畫攝影聯展」，展出十五幅畫，十首詩。被收藏三幅畫。
・十二月至一月，在台東縣立文化中心、花蓮縣立文化中心、天祥青年活動中心巡迴展出詩、畫作品。

・星光出版社重新出版「飛向海湄」散文集。（十一月）

・受聘爲教育局舉辦「台北市七十五年度中學學生詩歌朗誦比賽」評審委員。（十一月）

・畫水彩畫二百三十幅。

・出版新詩水彩畫集「讀雲」。

民國76年　55.歲

・受聘爲國軍新文藝運動輔導委員會文藝金像獎詩歌評審委員。（九月）

・受聘爲青溪新文藝學會文藝競賽金環獎詩歌評審委員。（十一月）

・受聘爲白雪藝術工作大隊編導委員。（九月）

・受聘爲教育局主辦中學生詩歌朗誦比賽評審委員。（十一月）

・參加黎明畫廊主辦「名家水彩畫大展」。（十二月）

・畫水彩畫三百零七幅。

民國77年　57.歲

・元旦在台北市黎明畫廊舉行「王祿松新詩水彩畫展」，歷時十五日，被收藏畫作十五幅。（一月）

・應聘爲行政院文化建設委員會舉辦「文藝創作研習班」講席，講題爲「詩畫散步」。（二月三日）

・應聘爲中國文藝協會巡迴文藝座談會主講。

・膺任「亞洲作家聯盟中華民國協會」發起人（八月）

・美國加州「世界藝術文化學院」頒贈榮譽文學博士學位。（八月）
・應聘為國軍新文藝運動輔導委員會文藝金像獎詩歌評審委員。（九月）
・應聘為青溪新文藝學會文藝競賽金環獎詩歌評審委員。（十月）
・應邀參加「中韓名畫家作品聯展」。（十一月）
・研究畫石法經年，十一月三日凌晨三時，始初步成形。
・畫水彩畫二百零七幅。

民國78.年　58.歲

・出版畫論水彩畫輯「讀雪」。
・應邀參加中國電視公司詩歌朗誦節目，擔任獨誦。（四月）
・應邀訪問澎湖文藝界。（五月）
・當選中華民國作家協會理事，並應聘為副秘書長。（五月）
・受聘為中國文藝協會「青年文藝研習會」講席。（六月）
・訪問金門。（六月）
・受聘為白雪藝術工作大隊特約編導委員。（七月）
・擔任全國大專院校新詩創作競賽評審委員。（七月）
・應邀訪問大韓民國並在漢城參加「大韓民國國際綜合美術大展」，作品在展出首日即第一幅被收藏。（七月）
・應聘為國軍新文藝運動輔導委員會文藝金像獎詩歌評審委員。（九月

）

・「日本星野紫虹流」詩人一行三十八人訪台，以新詩學會常務理事身分代表參加座談，席中朗誦己詩，並經日譯。（九月）

・「韓國國家有功者藝術協會」暨「中華民國青溪新文藝學會」聯合書畫展，應邀以水彩畫參與展出。（九月）

・受聘為「韓國美術界訪華團」作繪畫專題演講，講題為「共醉煙雲」，歷二小時。由韓國留華碩士李哲先生擔任翻譯。（九月）

・受命於世界詩人大會會長鍾鼎文先生，選出「中華民國當代朗誦詩代表作」。（十月）

・作品「自得」一詩在美國被選入「世界詩選」中。（十一月）

・任「第二屆亞洲作家會議」中華民國代表團代表。會議於台北市舉行，並朗誦即興詩作。（十二月）

・兀兀經年研究岩石質粒法，完成十五種色成果。

民國79.年　58.歲

・澳洲雪梨大學詩歌朗誦隊，於一月廿八日，朗誦「狂飆的年代」一〇一—一一八首。

・應聘為香港大學暨世界華文詩人協會合辦、香港政府教育署協辦之「現代詩及散文創作文憑課程」之客座講師（香港大學課程編號七二九）。（二月）

．作品「臥雲人」一詩被韓國教授兼詩會主席金泳三先生，以中英對照方式，選入其主編的「韓國詩人大事典」，並發寄世界各國。（四月）

．續任中國文藝協會繪畫班教師新店繪畫班教師。

．受聘爲台北市文山區民衆活動中心繪畫班教師。（十一月）

．舉行「王祿松新詩水彩畫展」于台北市國立台灣藝術教育館（四月七日至十四日），被收藏十四幅畫。

．出版詩畫集「讀山」。（四月）

．韓國國家有功者藝術協會來台訪問，王祿松受聘做專題演講，題目爲「胸中海嶽夢中飛——談中國畫的境界」于台北市「文苑」。（四月十七日）

．受聘爲中華民國新詩學會慶祝七十九年詩人節大專院校新詩創作比賽評審委員。（四月三十日）

．受聘爲全國本年度優秀青年詩人獎評審委員。（四月）

．受聘爲台灣省東區第九屆青少年文藝創作獎首席評審。（五月十日）

．受聘爲中央電影製片廠萬人親子聯歡會兒童寫生比賽評審委員。（五月十日）

．受聘爲國軍第二十六屆文藝金像獎音樂類歌詞項創作評審委員。（五

月十七日）

・榮獲中華民國文學藝術學會世界和平藝術大賞獎鼎一座，與國家元老陳立夫先生、以及韓國、日本、香港等地藝術、文學家並得獎于台北市圓山飯店頒獎大典。（五月廿六日）

・長子王戰赴維也納攻音樂。（六月廿八日）

・次子王旋畢業于台北復興美工學校，參與應屆學生畢業展于國父紀念館中山圖書館。（六月廿一日）

・應聘爲憲兵司令部新詩金像獎評審委員。（七月九日）

・繪畫作品經中華民國藝術文化協會推薦長期展覽於台北市世界貿易中心。（七月十二日）

・中華民國新詩學會授權王祿松辦理波蘭「詩藝畫廊」（凱爾采市）「國際詩人手稿展」事宜。（七月十四日）

・奉調「中央月刊」社副總編輯。（八月一日）

・受聘爲黃埔陸軍官校音樂金像獎競賽說詞撰稿人，該校連續四度榮獲音樂金像獎，皆由王祿松撰道白詞稿。（八月十七日）

・受聘爲國軍文藝金像獎新詩類評審委員。（九月八日）

・應邀在台北市金甌女中舉行畫展（十一月十一日）被收藏一幅。

・受聘爲台北市烏來鄉山胞歌唱才藝競賽評審委員。（十二月三日）

民國80年　59.歲

‧受聘爲台灣警備總司令部軍管區八十年度青溪文藝金環獎詩歌競賽評審委員（十二月二日）

‧舉行「王祿松莊雲惠新詩水彩畫聯展」於台中市「名人畫廊」。（元旦）

‧續任中國文藝協會繪畫班、新店市繪畫班、台北市文山區繪畫班、台北市民生路繪畫班等處教師。（一月）

‧次子王旋鉛筆素描班招生授課。（三月）

‧受聘爲一九九一年國際社區中小學繪畫選拔評審會評審委員。（四月十一日）

‧參加國家文藝獎獲獎人文化建設活動，訪問金門。（五月廿二日）

‧受聘爲國防部新文藝金像獎歌詞比賽評審委員。（五月廿八日）

‧受聘爲本年度優秀青年詩人獎評審委員。（六月二日）

‧受聘爲黃埔合唱團軍聲比賽歌唱撰詞。（六月五日）

‧全國詩人節大會擔任唯一獨誦新詩節目。（六月十六日）

‧受聘爲青溪新文藝金環獎詩歌類評審委員。（七月十七日）

‧受聘爲新中國出版社慶祝建國八十年徵文比賽詩歌類評審委員。（七月十八日）

‧參加國立台灣藝術教育館「四季美展」「秋之詩」巡迴展出，作品爲

館收藏。（八月）

• 中央月刊社同仁舉行宴會、音樂小舞會，社長陳德仁先生並贈親撰長詩，歡送王祿松自中央月刊社退休。投効黨門二十年，今告結束。（八月一日）

• 莊雲惠爲王祿松籌建家庭教室一間，開始授課以傳畫藝。（十月廿二日）

民國81年　60.歲

• 參加中國文藝協會活動花蓮行。（一月廿四日）

• 參加歷屆國家文藝獎獲獎人藝文活動高雄行。（二月十七日）

• 繼續爲中國文藝協會繪畫班、台北市文山區繪畫班、新店市繪畫班、台北市民生路繪畫班等六個班級教授繪畫，並負責雜誌三個「詩畫」及一個「藝術家素描」專欄。（三月一日）

• 參加新文藝輔導活動高雄台中行。（四月十六、十七日）

• 中國文藝協會年度大會擔任司儀官並及唯一的新詩獨誦節目（五月三日）

• 受聘爲本年度大專院校新詩創作比賽評審委員。（五月廿七日）

• 參加台北市青溪新文藝學會美術聯展。（六月二十日）

• 受聘擔任青溪新文藝金環獎新詩類作品評審委員。（七月十五日）

• 受聘擔任黃埔合唱團金像獎競賽道白詞稿撰寫。（八月十六日）

・受聘擔任空軍藍天藝展新詩金鷹獎評審委員。（八月二十日）

・受聘擔任國防部軍中文藝金像獎詩歌類評審委員。（九月十四日）

・在台北市金品藝廊舉行「當代藝文名家詩詞翰墨暨王祿松傳統詩水彩畫特展」，推出一百二十幅水彩畫暨詩詞翰墨作品。（十月卅一日）

民國82.年　61.歲

・出版「唯愛」。

王祿松新詩創作未選入本集的重要作品略計：

壹、詩集類

一、萬言詩（五千餘行長詩，曾獲學藝獎）
二、兵吼（詩集，曾獲軍中文藝獎）
三、牧羊橋的春天（抒情詩集）
四、河山春曉（二千餘行長詩，曾獲文藝金像獎徵詩比賽銀像獎）
五、獻給祖國的一百首詩（曾獲文藝金像獎徵詩比賽銅像獎）
六、巨人（詩集，陸軍出版社印行）
七、光華集（詩畫集，陸軍總司令部出版印行）
八、謳歌祖國（抒情詩集）
九、故鄉，祝你晚安（抒情詩集）
一〇、秋海棠之戀（二千餘行長詩）
一一、勁草集（抒情詩集）

貳、長詩類

一、南山樂章（三軍徵詩比賽第一名作品）
二、無名勳章傳（台大海洋詩社第一屆徵詩比賽第一名作品）
三、拜倫的號角（台大海洋詩社第二屆徵詩比賽第一名作品）
四、愛的肖像（台大海洋詩社第三屆徵詩比賽第一名作品）
五、總統頌（新中國出版社徵詩比賽第一名作品）
六、青年們，起來（中國青年救國團徵詩比賽第一名作品）
七、青年的力量用不完（中國青年救國團徵詩比賽第三名作品）
八、光明在望（新中國出版社徵文比賽第一名作品）
九、碧血碑（系列長詩十首，青年救國團徵詩比賽第一名作品）
一〇、復國的樂章（新中國出版社徵詩比賽第一名作品）
一一、毋忘在莒（新文藝月刊社徵詩比賽第一名作品）
一二、中華禮讚（國防部軍中文化服務團配合幻燈片環島演誦七個月之長詩作品）
一三、寶島台灣（國防部軍中文化服務團配合幻燈片環島演誦七個月之長詩作品）
一四、萬丈光芒（文藝金像獎朗誦長詩佳作類作品）
一五、領袖頌（新中國出版社徵詩比賽第一名作品）
一六、嶽峙（中國國民黨中央黨部徵詩比賽第一名作品）

一七、天亮了（文藝金像獎徵詩比賽銅像獎作品）

一八、大地晨曦（文藝金像獎徵詩比賽銀像獎作品）

一九、七月的雄飛（中華文化復興運動委員會金筆獎作品）

二〇、梅花志節（國家文藝獎作品）

二一、萬世流芳（全國大專院校金像獎朗誦詩比賽第一名作品）

本書渥承
彭正雄先生編輯．出版
方添貴先生作業
莊雲惠小姐
丹　萱小姐　精校訂正
沈中焜先生攝影
　　敬此致以
深深感謝之忱
王祿松謹識